Y Castell Siwgr

"Os pia fo gymaint o dir yn y wlad yma,
i be mae o eisiau mwy o dir yn
Jamaica?"

Angharad Tomos

Gwasg Carreg Gwalch

Argraffiad cyntaf: 2020

Rhif Llyfr Safonol Rhyngwladol:
978-1-84527-775-8

Cyhoeddwyd gyda chymorth Cyngor Llyfrau Cymru

Dylunio: Eleri Owen
Cynllun clawr: Sion Ilar
Delwedd clawr: Lois Prys – Castell Penrhyn wedi'i adeiladu o siwgr fu'n rhan o arddangosfa Manon Steffan Ros yn archwilio hanes teulu Penrhyn a chaethwasiaeth, 2018

Cyhoeddwyd gan Wasg Carreg Gwalch,
12 Iard yr Orsaf, Llanrwst, Dyffryn Conwy, Cymru LL26 0EH.
Ffôn: 01492 642031
e-bost: llyfrau@carreg-gwalch.cymru
lle ar y we: www.carreg-gwalch.cymru

Argraffwyd a chyhoeddwyd yng Nghymru

Cyflwynedig i

Manon Steffan Ros

Carwn ddiolch i Lenyddiaeth Cymru am ysgoloriaeth awdur,
i Lois Mai, Bob Morris, Bethan Thomas, John Llywelyn Williams,
Ieuan Wyn, Liz Millman, Chris Evans, Manon Steffan Ros,
Gwyn Sion Ifan, Marian Gwynn, Gareth Evans-Jones,
Hanna Huws, Rhiannon Ifans, Lois Prys, Llio Elenid
a Gwasanaeth Llyfrgell Gwynedd.

“I do not wish the cattle or the Negroes to be overworked.”

Richard Pennant, Arglwydd Penrhyn

Pennod 1

Gadawodd i'w chorff symud i fiwsig y gân a'i thraed i guriad yr alaw. Roedd Dorcas yn ei helfen yn dawnsio.

> "Hwp dyna fo
> A chynffon buwch, a chynffon llo,
> A chynffon Rhisiart Parry'r Go,
> Hwp dyna fo ..."

Gan afael yn llaw y lleill oedd wedi ffurfio'n gylch, dawnsiodd i mewn at y Cadi Haf. Plethwyd y rhubannau nes ffurfio'n ganghennau lliwgar a dotiodd Dorcas atynt. Pam na allai pob dydd fod yn ddydd gŵyl?

Cyflymodd sŵn y ffidil a churodd traed pawb i'r un curiad. Roedden nhw'n un, yn plethu i'w gilydd, yn wincio, gwenu a chwerthin. Doedd dim a wnâi Dorcas yn hapusach na dawnsio.

"Hei!"

Gwasgodd Hefin Tŷ Uchaf am ei chanol a dwyn cusan sydyn cyn neidio yn ôl i'w le. Nid ar Hefin oedd llygad Dorcas, chwaith. Petai Rhys wedi gwneud yr un peth, byddai'n stori wahanol.

"Dorcas! Ffordd hyn!"

Roedd dawns y Cadi Haf wedi dod i ben, ond roedd criw ohonynt wedi ffurfio llinell hir fel neidr, gan ddawnsio rhwng y stondinau. Parodd hyn rialtwch mawr i bawb ond y stondinwyr. Roedd y cadachau lliwgar roedden nhw'n eu chwifio fel adar yn gwibio drwy'r awyr.

"Cân!" mynnodd rhywun, a dyma barhau efo codi'r hwyl.

"Fwynheaist ti hynny?" holodd Dorcas i'w ffrind.

"Do, ond bu bron iddo fod yn ormod i mi!"

Dwmplen fach gron oedd Elsi, ac roedd ei bochau fel afalau cochion.

"Twt, bydd gofyn inni ailgychwyn eto mewn dipyn."

"Dorcas, does dim digon i'w gael gen ti, nagoes?"

Nagoes, meddyliodd Dorcas. Un felly ydw i – enaid aflonydd fyddai wrth ei bodd yn dawnsio a chanu ddydd a nos.

"Petai cystadleuaeth am yr un allai ddawnsio hwyaf, Dorcas fyddai'n ennill," meddai Sara, a chytunodd pawb.

Daeth Rhys Fychan efo 'chydig o ddŵr i'w disychedu. Gwenodd ar Dorcas.

"Nes i fwynhau dy wylio'n dawnsio," meddai, a gwridodd Dorcas hyd at fôn ei chlust.

"Diolch," atebodd hithau, gan fethu edrych i'w lygaid.

Eisteddai'r criw ar y glaswellt yn gwylio'r ffair o bell. Gorweddodd Lisa ar ei chefn yn y gwair, a'i phen golau ar arffed Dorcas. Plethodd Dorcas y gwallt lliw banadl.

"Beth wyt ti'n neud, Dorcas?" holodd Lisa.

"Plethu coron o lygaid y dydd yn dy wallt."

"Fydd 'na olwg arna i pan wywan nhw."

"Os cawn ni bleser ohonynt am chwarter awr, mae'n ddigon," atebodd Dorcas. Yna safodd ar ei thraed. "Barod?"

"Hei, 'drychwch ar yr ymladd ceiliogod!" meddai Hefin.

Dros gefnau'r dorf, ceisiodd Dorcas weld yr ymladdfa. Doedd dim byd tebyg i weld dau geiliog yng ngyddfau'i gilydd. Roedd y trechaf yn dal ei hun yn dalsyth, mewn rheolaeth lwyr ohono'i hun. Dawnsio rownd ei wrthwynebydd wnâi'r llall, yn gwbl aneffeithiol. Yn sydyn, aeth y gwantan yn syth am wddf ei wrthwynebydd a chafodd ei gosbi'n hallt. Hedfanai'r plu i bobman, a doedd hi fawr o dro cyn iddo gael ei drechu gan y ceiliog mawr, a gadawyd yr un eiddil yn gorwedd ar ei ochr, yn trengi'n gyflym.

"Ffrae ddwy a dimau. Fasa dwy iâr wedi cwffio'n well," mynnodd un.

"Druan o'r rhai roddodd arian ar y gêm," meddai'r llall.

Rhoddodd Lisa ei braich ym mraich Dorcas, a gafaelodd Elsi yn y llall.

"Dwi wedi cael diwrnod gwerth chweil," meddai Elsi, "a heno ..."

"Mi gaf edrych ymlaen at fy swper!" meddai'r ddwy arall ar ei thraws gan chwerthin yn afreolus.

"Cnafon," meddai Elsi, ond bu raid iddi hithau wenu. Dyna oedd ffrindiau – rhai oedd yn eich nabod yn well na neb arall.

Ar y stondin rubannau, cafodd pob merch ruban moethus, a darn o lês i fynd adref efo nhw. Roedd hwnnw'n ddiwedd campus i'r diwrnod.

* * *

Deffrodd Dorcas yn sydyn y noson honno, a'r peth cyntaf a glywodd oedd anadlu Mabli, ei chwaer fach, wrth ei hochr. Drwy'r ffenest fechan, sylwodd ei bod yn noson olau leuad.

Mentrodd godi a mynd ar flaenau ei thraed at y ffenest i syllu arno.

Ers pan oedd hi'n fach, roedd Dorcas wedi ei chyfareddu gan y lleuad. Rywsut, roedd gan y belen fawr wen y gallu i droi byd cyfarwydd yn lle lledrithiol.

"Lleuad yn olau, plant bach yn chwarae, lladron yn dŵad dan weu sanau ..."

Ysai am fentro allan a mynd am dro. Tybed beth welai, pa gyfrinachau ddeuai i'r fei yng ngwyll y nos? Petai'n gweld y bobl bach yn dawnsio mewn cylch, a fyddai'n mentro i'w canol i ddawnsio efo nhw, a'u dilyn i'r byd tu hwnt?

"Be wyt ti'n neud?" holodd Mabli rhwng cwsg ac effro.

"Syllu ar y lleuad."

"Tyrd yn dy ôl i'r gwely."

"Does gen i ddim mymryn o awydd cysgu. Ro'n i ffansi mynd am dro yng ngolau'r lleuad."

"Dorcas ..."

Dim ond i Mabli erfyn arni felly, a byddai calon Dorcas yn toddi. Pum mlynedd oedd yn gwahanu'r ddwy, a byddai Dorcas yn teimlo'n warchodol o'i chwaer fach. Ond weithiau, byddai'n amau pwy oedd yr hynaf ohonynt.

"Wedi cynhyrfu dy hun ormod efo'r ddawns wyt ti, Dorcas. Tyrd yma i mi gael coflaid."

Ufuddhaodd Dorcas, a mynd yn ôl i glydwch y gwely. Doedd yna ddim yn y byd yn fwy cysurlon na chael ei chwaer yn ei breichiau. Gwyddai bryd hynny nad oedd dim i boeni yn ei gylch.

"Ti'n well rŵan?" holodd Mabli wrth ei chwaer.

"Dwi'n gynhesach."

“Efo pwy buost ti’n dawnsio?”

“Pawb ... ond ges i wên gan Rhys.”

“Un clên ydi o,” a swatiodd Mabli yn fodlon.

Ond ni allai Dorcas gael gafael ar gwsg. Roedd y cerydd a gafodd gan ei thad yn gynt y noson honno’n chwarae ar ei meddwl. Pan gamodd dros y rhiniog, roedd golwg fel y Gŵr Drwg arno. Cadw ei hun yn brysur wrth y tân wnaeth ei mam.

“Dorcas, rwyt ti adre o’r diwedd. Dydi dy dad ddim yn hapus.”

Gwyddai Dorcas yn syth beth oedd yn bod.

“Ond mi wyddech ’mod i’n mynd i lawr i’r Marian ...”

“Ar ddydd gŵyl ...” meddai ei thad.

“Roedd pawb yn mynd yno.”

“Ac mi fuost yn dawnsio, mae’n debyg.”

“Do.”

“A be ’dan ni wedi’i ddeud am hynny?”

Syllodd Dorcas ar ei sgidiau, y sgidiau fu’n dawnsio mor hyfryd rai oriau ynghynt. Merch felly oedd hi, doedd dim modd ei wadu – merch oedd yn hoffi dawnsio. Oedd hynny’n ei gwneud yn ddrwg?

“Ateb fi.”

“Poeni amdanat mae dy dad,” meddai ei mam yn dawel.

“Gan ei bod yn ddydd gŵyl, doeddwn i ddim yn ei weld yn beth drwg. ’Mond dipyn o hwyl oedd o.”

Ni ddywedodd neb air am dipyn.

“Wyt ti’n deall pam fod dawnsio’n ddrwg, Dorcas? Pam mae’r Methodistiaid yn ei ystyried yn bechod?”

“Ydw, Dad,” atebodd, fel parot, ac yna newidiodd ei meddwl. “Wel, a bod yn onest, nac ydw.”

Ochneidiodd ei thad. Roedd gwaith dysgu ar hon.

"Nid y dawnsio ei hun yw'r pechod, ond yr hyn y medr arwain ato," atebodd, fel petai'n siarad â phlentyn bach. "Mi wyt ti'n ddigon hen i wybod am be 'dan ni'n siarad ..."

Doedd gan Dorcas ddim dewis ond edrych i lawr a chadw'n dawel.

"Mewn awyrgylch o rialtwch a phenysgafndod, hawdd iawn yw rhoi lle i'r Diafol. Mi fedr fod mor gyfrwys – mae'n gwybod yn burion sut i chwarae ar ein chwantau."

Meddyliodd Dorcas am y wên a gafodd gan Rhys. Roedd o'r peth mwyaf naturiol yn y byd.

"Mae'n ddrwg gen i, Dad."

"Dy les dy hun sydd gennym mewn golwg, Dorcas. Nos da."

"Nos da," meddai Dorcas wrth fynd i'r daflod, ond roedd yn ddiweddglo chwerw i ddiwrnod mor braf.

Pennod 2

A'i phen yn erbyn ystlys Neli'r fuwch, teimlai Dorcas wres yr haul ar ei gwegil.

Roedd yn fore bendigedig a'r adar yn canu. Teimlai'r bwced yn araf lenwi a hoffai'r cynhesrwydd a ddeuai o gorff y fuwch. Roedd hi'n braf cael dipyn o lonydd ben bore o brysurdeb yr aelwyd. Pharodd o ddim yn hir, gan iddi weld Lewis yn dod tuag ati efo'i grystyn yn un llaw, a chwpan yn y llaw arall, yn llawn direidi pumlwydd oed.

"Ti wedi gorffen?" gofynnoddd.

"Bron iawn."

"Ga i lymaid?"

Rhoddodd Dorcas ei gwpan yn y bwced a'i rhoi i'w brawd, gan ei wylio'n llyncu'r llaeth yn awchus, a'r diferion yn tasgu dros ei ên.

"Mam sy eisiau dy help efo'r golchi ... ga i ddod efo ti i fynd â Neli 'nôl?"

"Wrth gwrs y cei."

Gafaelodd Dorcas yn llaw fach ei brawd, ond gwrthod a wnaeth.

"Dwi'n hogyn mawr rŵan."

"Waeth i ti fynd â Neli dy hun 'ta," atebodd Dorcas yn bryfoclyd. Ystyriodd y creadur y cynnig.

"Well i Dorcas ddod yn gwmpeini i Lewis."

"Syniad da."

A cherddodd y ddau yn ôl i Gae Uchaf efo'r fuwch, a Dorcas yn gwylio coesau byr Lewis yn mynd o'i blaen. Gwenodd at ymdrech Lewis i ymddangos yn hŷn nag ydoedd.

Wrth gamu dros drothwy'r tŷ, gwelodd Dorcas y dillad yn un pentwr ar y llawr, a'i mam yn magu'r babi. Berwai'r dŵr ar y tân.

"Rho'r dŵr yn y twba. Dydi hwn ddim hanner da heddiw."

"Lewis sy'n helpu Dorcas heddiw."

"Well i ti beidio, pwt, efo'r dŵr berwedig. Ella gaiff Lewis wneud rhywbeth arall ..."

"Torri coed?"

"Mae gennon ni ddigon o goed, Lewis," atebodd Dorcas. "Tyrd allan efo mi, a gei di wneud dy A Bi Ec."

Wrth i Dorcas sgwrio'r dillad, bu Lewis yn ddigon hapus efo pric yn gwneud siâp y llythrennau yn y pridd.

"Ga i ddysgu llythyren newydd?"

"Beth am i ti wneud 'L' am Lewis?" a lluniodd Dorcas y siâp.

"Cornel ydi honno."

"Ia, cofia di – siâp cornel sy ar ddechrau 'Lewis'."

Diflasodd y bachgen ac roedd eisiau tasg.

"Deud wrthot ti be fasa'n help, Lewis – ei di i hel gwlân o'r gwrychoedd?"

"Dydi Lewis ddim hanner da," meddai.

"Deio bach sydd ddim hanner da. Mae Lewis yn hogyn cryf, iach."

"Pam ddyliwn i mofyn gwlân?"

"Am nad oes gennon ni ddim ar ôl, a hebddo, fedra i ddim gneud dafedd, a heb ddafedd fedrwn ni ddim nyddu."

"A heb nyddu, chaiff Lewis ddim swper ..."

Roedd ei brawd yn hen gyfarwydd â'r stori hon, felly i ffwrdd ag o, ond gwnaeth yn siŵr fod Dorcas yn ei glywed yn tuchan.

Roedd diwrnod golchi'n ddiwrnod hir yn Nhyddyn Pricia. Byddai berwi'r dŵr yn cymryd hydoedd, ond o leiaf ar ddiwrnod sych roedd modd gwneud y cyfan tu allan.

Sgwrio a rhwbio drwy'r bore, cario rhagor o ddŵr, berwi hwnnw, wedyn rinsio'r golch i gyd mewn dŵr glân, ac yna rhoi'r cyfan ar y gwrychoedd i sychu. Gan fod Deio'n sâl, bu raid i Dorcas wneud mwy na'i siâr o'r gwaith. Allan yn y caeau efo'i dad roedd Ifan y mab hynaf. Gyda'r nos, wedi gwneud swper, braf oedd ymlacio wrth y bwrdd bwyd. Roedd Deio wedi dechrau dod ato'i hun hefyd, er mawr ryddhad i'w fam.

"Gwerth chweil," meddai Elis Edwards wrth ei wraig. "Rhaid inni fod yn ddiolchgar."

Setlodd wrth y tân a mwynhau'r gwres. Eisteddai Ann Edwards gyferbyn ag o, yn cerdio'r gwlân.

"Rhaid inni ddeud da iawn wrth Mabli a Lewis heddiw," meddai hi. "Mi ddaru'r ddau weithio'n sobr o galed yn casglu'r gwlân oddi ar y cloddiau."

Deg oed oedd Mabli, ac ni chollodd gyfle i weld bai yn ei brawd.

"Aeth Lewis ar goll ond mi ddois i o hyd iddo."

"Ffordd honno ro'n i eisiau mynd," mynnodd Lewis. "Fedri di ddim mynd ar goll os wyt ti'n gwybod i lle rwyt ti'n mynd."

"Doeddet ti 'rioed wedi bod y ffordd honno o'r blaen."

"Anturiaethwr ydw i."

Edrychodd y rhieni ar ei gilydd a gwenu. Roedd y datganiad yn crynhoi cymeriad Lewis i'r dim.

Wrth y tân eisteddai Ifan, yn ddwy ar bymtheg oed, a dwyflwydd yn hŷn na Dorcas, yn ddyfal efo'i gŷn ac wedi ymgolli mewn cynllun cymhleth.

"Wyt ti'n cerfio llwy garu, Ifan?" holodd Dorcas.

"Nac ydw i."

"Wyt, mi rwyt ti. Edrychwch, Mam, mae o wedi gneud pêl mewn sgwâr – tydio'n dda?"

"Dyro weld, Ifan," meddai ei fam, ond cyndyn i ddangos ei waith oedd Ifan.

"Dim ond gweld os gallaf gerfio pêl ydw i."

"Wel, mi ddaw'n handi rhyw ddydd pan gei di gariad," atebodd Dorcas, yn mwynhau tynnu coes ei brawd.

Wrth y droell yr oedd Dorcas yn nyddu'r gwlân er mwyn rhoi seibiant i'w mam. Roedd y gwlân a gasglodd Mabli a Lewis wedi ei olchi ac yn barod i'w nyddu. Bu Dorcas yn nyddu ers pan oedd hi'n ddeuddeg oed, ac roedd Mabli wrth ei hochr, yn awyddus i ddysgu.

"Wrth nyddu, dwyt ti byth yn llonydd, Mabli. Rhaid i ti gadw llygad ar y droell gydol yr amser. Weli di? Dwi'n bwydo'r gwlân yn y pen yma, yn ei ddal efo fy llaw chwith, ac yn ei droi'n gyson. Ymlaen, 'nôl, ymlaen, 'nôl ..." meddai, wrth gamu 'nôl ac ymlaen. "Mae dy gorff i gyd yn symud, nid dy freichiau'n unig. Hanner y gyfrinach ydi cydweithio efo'r droell."

"Ga i roi cynnig arni?"

"Mae'n hen bryd i chdi a Lewis fynd i'ch gwlâu. I'r siambr â chi!"

"Ond Mam, mae Dorcas ar ganol rhoi gwers i mi!"

"Mabli fach, mae 'na wastad fory. Mae Dorcas a minnau'n nyddu bob dydd o'r flwyddyn, felly dwi'n siŵr y daw cyfle arall."

"Fory?"

"Ia, fory a drennydd a dradwy," meddai ei mam yn flinedig.

Wrth fynd i gysgu'r noson honno, roedd Mabli'n myfyrio ar ei hoff chwedl. Y ffefryn oedd yr un am y ferch yn y castell yn nyddu, a Sigl-di-gwt yn mynnu ei bod hi'n dyfalu ei enw. Roedd Mabli wrth ei bodd efo'r enw 'Sigl-di-gwt'.

Wrth i Dorcas ddod ati i'r gwely, gofynnodd Mabli iddi,

"Sut gastell oedd un Sigl-di-gwt?"

"Un crand, crand efo tyrau."

Syllodd Dorcas ar do'r daflod, a'r grug wedi ei wthio i'r corneli i gadw'r gwynt draw.

"Hoffet ti fyw mewn castell, Dorcas?"

"Os ydi o'n un diddos ..."

"O, fasa'n castell ni'n un diddos iawn. Fasan ni byth yn oer, fydde 'na dân braf ym mhob stafell, a'r gweision a'r morynion yn gweini arnom. Mi fydden ni'n cael bwyd bendigedig a bwyta oddi ar blatiau arian ..."

"Fasan ni wir?" Gwenodd Dorcas yn y tywyllwch. "Be gaem i bwdin?"

"Danteithion melys efo siwgr fel crisial arnynt, a ffrwythau na fydde neb wedi gweld eu tebyg ..."

"Ti'n fy ngneud i'n llwglyd rŵan ... rho'r gorau iddi."

"Ac ar ôl bwyta, mi fyddem ni'n dawnsio tan oriau mân y bore – fi yn fy ffrog sgarlad liw gwin, efo lês, a tithau – pa fath o ffrog hoffet ti?"

"Un las, las lliw clychau'r gog, a lot o rubannau yn fy ngwallt," meddai Dorcas.

"Fasat ti eisiau coler lês?"

"Wrth gwrs. Fasa 'na fiwsig?"

"Byddai telyn yno a ffidil ... fasa fo fel bod yn y nefoedd."

"Ond mi fyddai'n rhaid i'r noson ddod i ben, Mabli."

"Dim ond pan na allem ddawnsio mwy. Fasan ni'n mynd i'r gwely anferth 'ma, efo matres blu ac arno fasa 'na gwrlid melfed coch efo rhosynnau aur."

"Dos i gysgu, Mabli, a rho'r gorau i fwydro," chwarddodd Dorcas, gan swatio dan y garthen wlân.

"Ond mi fyddai'n braf, byddai?" atebodd Mabli, yn gysglyd.

Pennod 3

Wrth i Dorcas ddod yn ôl wedi bwydo'r ieir, gwelodd gefn Ifan wrth y gwŷdd yn y cwt. Roedd ei thad wedi gadael ben bore i'w waith yn y pandy, a thasg ei brawd oedd gwehyddu.

"Mae Deio yn well bore 'ma, diolch byth. Mae gas gen i weld y creadur bach yn wael."

"Dydi o ddim tebyg iddo'i hun pan mae o'n sâl."

"Dad oedd yn cwyno bore 'ma." Peth anarferol oedd hynny.

Aeth Dorcas i'r cwt ac edrych ar Ifan yn gwthio'r wennol yn ôl ac ymlaen.

"Glywaist ti amdana i'n cael ffrae ar ôl bod yn dawnsio?"

"Soniodd Mam wrtho i."

"A chest *ti* ddim pryd o dafod?"

"Doeddwn *i* ddim yn dawnsio!"

"Ond roeddet yn yfed efo dy ffrindiau, ac yn mwynhau dy hun gystal â mi."

"Dwi'n hŷn, a dwi'n hogyn."

"Dydi o ddim fel taswn i'n hogan benchwiban. Mae 'na sawl merch wirionach na mi."

"Ond dydy Dad a Mam ddim yn gyfrifol am y rheini, nac ydyn?" Cododd Ifan ei ben, a gwenu arni. "Dwi 'di cael cerydd gwaeth, sawl gwaith. 'Mond poeni amdanat ti maen nhw."

"Ddigon i neud i rywun droi'n ôl i fod yn eglwyswr."

"Mi gaet ffrae lot gwaeth am hynny!"

Edmygodd Dorcas ddawn ei brawd i wehyddu.

"Bydd rhaid i ti fy nysgu, Ifan. Roedd Mabli'n frwd i mi ei dysgu sut i nyddu y dydd o'r blaen."

"Ei gadw'n ddigon tyn yw'r gyfrinach efo hwn ... Ond mae gen ti hen ddigon ar dy blât yn trin y gwlân a'i nyddu."

"Gwaith undonog ydi o, fel pob gwaith tŷ," atebodd Dorcas. "O leia mae eisiau dipyn o ddawn i drin gwŷdd."

"Falle, ond mae hwn yn gallu mynd yn ddigon undonog yn y man."

Bodiodd Dorcas y bwndeli gwlân.

"Dibynnu pa mor wreiddiol wyt ti, Ifan. Taswn i'n cael cyfle, mi rown streipen borffor ar bob pen. Meddylia tlws fyddai hynny."

"Dydyn nhw ddim eisiau streips porffor arno, Dorcas! Gwlanen blaen Gymreig maen nhw ei heisiau, milltiroedd ohoni. Phrynan nhw ddim byd ffansi."

"Fasa fo ddim yn costio mwy. Efo mwsog, mi fedra i neud edafedd gwyrdd, ac mae'r porffor yn haws fyth."

"Mae'n golygu amser. Dydyn nhw ddim eisiau ein talu i hel mwsog a gneud petha ffansi."

"Pwy ydi'r Nhw 'ma?" holodd Dorcas.

"Masnachwyr Amwythig. Cadw'r pris yn isel efo defnydd rhad yw eu hunig gonsyrn."

"A phwy sy'n prynu brethyn mor ddiflas?"

"Ar gyfer soldiwrs a chaethweision mae o fwya," atebodd Ifan, "felly eu perchnogion nhw sy'n ei brynu. Mae rhaid fod beth wmbredd ohonynt iddyn nhw fod yn gofyn am gymaint."

Soldiwrs a chaethweision, meddyliodd Dorcas ... pethau y tu hwnt i'w byd hi. Ond os mai brethyn Cymreig oedd eu gwisg, roedd o'n help garw i'w theulu hi i gadw'r blaidd o'r drws. Wrth groesi'r buarth, oedodd Dorcas a gofyn i'w brawd,

"Oeddet ti'n deud nad oedd Dad yn dda?"

"Dioddef efo'i gefn mae'r creadur. Dydi o ddim yn edrych yn dda, ac mae'n blino'n llawer cynt. Dwi'n gneud be fedra i i leddfu ei faich – a dydi o'n mynd ddim iau."

Ei thad yn heneiddio? Ddaru Dorcas ddim meddwl am hynny o'r blaen. Roedd hi wedi meddwl mai aros yr un fath y byddai ei rhieni am byth, ac mai plant yn unig oedd yn newid. Doedd hi ddim yn lecio meddwl am ei rhieni'n heneiddio.

* * *

Tasg Dorcas ac Ifan drannoeth oedd mynd â'r brethyn oedd ganddyn nhw i'r pandy. Er ei bod yn daith i fyny'r allt, cyn mynd lawr at yr afon, roedd yn ddigon dymunol mewn tywydd braf, er bod eu baich yn un trwm.

"Bydd gennym archwaeth ar ôl y daith hon," meddai Dorcas.

"Bydd, ond wn i ddim fyddwn ni'n ei gneud hi am lawer hwy."

"Pam?" Ni allai Dorcas ddychmygu peidio cribo a nyddu a gwehyddu. Bu'n gymaint rhan o fywyd eu teulu erioed.

"Dydi'r farchnad ddim cystal."

Cyflymodd Dorcas ei cherddediad gan fod Ifan yn brasgamu.

"Ond mae hyn yn sobr. Os nad ydi pobl eisiau brethyn, be wnawn ni?"

"Paid â mynd o flaen gofid, Dorcas, dim ond wedi clywed si ydw i."

Mewn tawelwch y cerddodd y ddau tua'r pandy wedyn, yn myfyrio ar fyd oedd yn prysur newid. Roedd pethau mor sefydlog yn Nolgellau fel bod Dorcas wedi meddwl mai felly y bydden nhw am byth. Ond mewn dwy flynedd, byddai hithau yr un oed ag Ifan, byddai Ifan yn dod i oed priodi ac yn gadael cartref. Byddai Mabli'n tyfu'n ferch ifanc ...

Ambell waith, byddai ei mam yn ochneidio ac yn dweud, "Mae'n dda na wyddom beth sydd o'n blaenau", a byddai ias yn mynd i lawr cefn Dorcas. Fel arall roedd hi'n teimlo – bob tro'n obeithiol, ac yn meddwl fod dyddiau gwell i ddod.

* * *

Dydd mawr oedd dydd Sul yn Nhyddyn Pricia. Byddai gorchwylion y Saboth wedi eu cyflawni y noson cynt, a'r bore wedyn, roedd Ann Edwards wedi gwneud yn siŵr fod pob un o'i phlant wedi eu gwisgo yn eu dillad gorau cyn cerdded i Gapel Soar. Ers talwm, i'r eglwys yn y dre yr oedd pawb yn mynd, ond ers rhai blynyddoedd bellach, roedd pobl gyffredin wedi troi eu cefn ar yr eglwys, ac yn mynychu capeli. Roedd ei chwaer wedi aros yn driw i'r eglwys, yn bennaf am fod ei gŵr yn gweithio i bobl gyfoethog. Saesneg a Lladin oedd iaith yr eglwys, tra oedd gwasanaeth capel yn Gymraeg. Nid oedd gan Dorcas gymaint â hynny o amynedd efo pregeth, yn enwedig os oedd yn faith, ond roedd yn mwynhau dysgu sgwennu a darllen yn yr ysgol Sul.

"Dysga i mi sut i wehyddu, wnei di?" meddai Dorcas, wrth iddi hi ac Ifan gerdded adref o'r capel efo'i gilydd.

"Ti'n benderfynol o feistroli'r grefft, yndwyt?"

"Wel, tasa Dad neu ti oddi cartre, neu un ohonoch yn wael, mi fyddai'n handi drybeilig petawn i'n gallu trin y gwŷdd, basa?"

Gwelodd Ifan y taerineb yn llygaid ei chwaer a gwyddai mai ofer fyddai dadlau. Ofer hefyd fyddai dweud mai gwaith dyn oedd o, ac nad oedd merched yn arfer gwehyddu. Dyna un peth yr hoffai am Dorcas – ei hysbryd anorchfygol, a'i chred nad oedd dim yn amhosibl iddi.

Y bore wedyn roedd Ifan yn egluro darnau o'r gwŷdd iddi, a hithau'n llawn diddordeb.

"Rhain ydi'r tannau, a dyma sy'n cadw siâp y wlanen. Hon ydi'r wennol."

"Dwi'n gwybod cymaint â hynny, siŵr."

"Unwaith rwyt ti wedi cysylltu'r gwlân â'r wennol, yr unig beth sydd angen ei neud yw arwain hon yn ôl ac ymlaen, gan newid y llinynnau bob yn ail ..." Wrth egluro, roedd Ifan yn dangos yr hyn a wnâi ar y ffrâm. "I sicrhau fod yr anwe yn cadw'n dynn, mae angen cadw llygad ar yr ystof."

"Mae o fel plethu, tydi? Pan dwi'n plethu gwallt Mabli, dyna ydw i'n ei neud – sicrhau fod un cudyn yn cael ei wasgu rhwng dau arall."

"Yr un ydi'r egwyddor, 'blaw dy fod yn plethu sawl tant ar y tro." Roedd Ifan wedi ymgolli yn y dasg. "Waeth i ti heb â'i gael yn rhy dynn chwaith, neu mae hynny cynddrwg â'i gael yn llac."

"A dyna'r cwbl ydi o?"

"Ia, ond bod rhaid canolbwyntio, wrth reswm. Ond does fawr fedr fynd o'i le, os cedwi di'r tannau yn eu lle. Profiad ydi o i gyd."

“Ga i roi cynnig arni?”

“Dwi’m eisiau difetha’r wlanen yma ...”

“Pwy ddifetha? Byddi di’n cadw llygad barcud arna i.”

Gwenodd Ifan a gwneud lle iddi.

“Tyrd ’laen ’ta.”

Wrth gwrs, unwaith yr oedd Ifan wedi gwneud lle i Dorcas, gwrthododd honno symud, a gadawodd Ifan i bethau fod felly. Roedd hi’n dysgu’n gyflym, chwarae teg.

“Os byth y byddi’n gneud dy wlanen dy hun,” meddai Ifan, “rhaid i ti addo un peth.”

“Beth yw hwnnw?”

“Rhaid i ti wrthsefyll y demtasiwn i roi streips gwahanol liwiau ynddi.”

Gwenodd Dorcas.

“Mi wna i’n union fel dach chi’n deud, meistr.”

“Dwyt ti ’rioed wedi bod dan fawd unrhyw feistr. A bechod dros bwy bynnag fyddai’n gorfod cadw trefn arnat ti, Dorcas Edwards!”

Pennod 4

Tro Mabli a Dorcas oedd hi i fynd i lawr i'r dre i werthu wyau. Roedd Mabli wedi eu casglu ben bore, ac wedi cael helfa dda.

"Fy ffefryn ydi Heti. Mae'n dod ataf i 'nghyfarch, tra mae'r lleill yn f'anwybyddu," meddai wrth ddod i'r gegin a sylwi ar Lewis ar ei liniau'n rhoi llaeth i oen swci. Aeth Dorcas ato i roi mwythau.

"Yli, Dorcas, peth bach. Mae o'n yfed llefrith yn iawn gen i."

"Ydi, mae o wedi cymryd atat."

"Fedra i ddim dod lawr i'r dre efo chi heddiw," meddai Lewis yn bwysig. "Mae mwy o f'angen i fan hyn."

"Hen dro," meddai Mabli, yn rhoi'r wyau mewn basged. "Ydi'r oen bach wedi colli'i fam?"

"Na, hi sy wedi'i wrthod. Hen dro 'te, a fynta'n beth mor ddel."

Wedi i Mabli fynd allan, dywedodd yn dawel, "Mi wnes i feddwl yn sydyn, peth sobr tasa Mam yn fy ngwrthod i, fel gwnaeth mam hwn."

"Lewis, paid â deud y fath beth! Mae Mam yn meddwl y byd ohonot ti."

"Ia, ond mae hi'n gwylltio efo mi weithiau." Doedd dim llefrith ar ôl yn y botel.

"Dim ond pan wyt ti'n mynd dros ben llestri, ond rwyt ti werth y byd yn grwn, mi wyddost hynny." Roedd Dorcas yn teimlo dros ei brawd.

“Dwi’n lecio pan ti’n deud petha fel ’na,” meddai’r bychan, a dotiodd Dorcas at ei ddiniweidrwydd.

Ar hynny, daeth eu Mam i mewn. “Rŵan, tân dani, genod, neu mi fydd y farchnad ar ben cyn i chi gychwyn!”

Ar eu ffordd i’r dre, siaradai Mabli fel pwll y môr. Ei hoff gêm oedd chwarae ‘pobl gyfoethog’.

“Smalia fod gennym ffrogiau sidan drudfawr a pherlau am ein gyddfau.”

Edrychodd Dorcas ar wisg ei chwaer, yn ddigon clytiog, ac yn rhy fach iddi. Roedd eisiau cryn ddychymyg i gymryd arni ei bod yn wisg sidan.

“Mabli, tasen ni’n gyfoethog, fasan ni ddim yn gorfod gwerthu wyau.”

“Na, a fasan ni ddim yn cerdded chwaith. Fasan ni’n cael teithio mewn coets a phobl yn edrych arnom. Ond mi faswn i’n lluchio ceiniogau at y tlodion.”

“Na fyddet ti ddim. ’Taet ti’n gyfoethog, fasa dim ots gen ti am y tlodion.”

* * *

Roedd sgwâr Dolgellau’n llawn bwrlwm wrth i bobl gyrraedd y farchnad, ac roedd y stondinwyr wedi codi cyn cŵn Caer i roi trefn ar bethau. Llysiau, cig, perlysiau, ceirch, mêl, lês, rhubannau, blodau, brethyn, lledr – roedd y cyfan yn rhialtwch o arogl a lliw. Rhoddwyd yr argraff os oedd rhywbeth y dymunech, roedd ar gael ym marchnad Dolgellau y diwrnod hwnnw – am bris. Teithiodd rhai o gryn bellter, ac roeddent yn gweu drwy ei gilydd. Rhyngddynt, rhedai plant trwy'r trwch, gan wibio ar ôl ci neu bêl neu gylch, gan weiddi neu chwerthin. Oedd, roedd hwyl i'w gael mewn marchnad.

Gosododd Dorcas y fasged wyau ger stondin gaws Martha Gelli.

"Sut ydach chi'ch dwy y bore 'ma?" holodd Martha'n siriol. "Glywsoch chi fod Elin Rhyd y Bedol wedi cael bachgen bach neithiwr – clobyn seithbwys."

"Oes enw iddo eto?"

"Guto Wyn, ar ôl ei daid, ochr ei fam – teulu Sarnau."

"Mae ganddi un yn barod, toes?"

"Oes, Cadi – sy'n tynnu at ei dwy. Hen gariad ydi honna. Dwi eisiau galw i'w gweld rhyw ben wythnos yma. Mi bryna i ddau wy gennych chi ..."

"Diolch, Martha."

"Ga i hanner dwsin o wyau, os gwelwch yn dda?" holodd gwraig dal y tu ôl i Martha.

"Tair ceiniog a dimau, diolch," meddai Mabli. Roedd yn ei helfen yn gwerthu.

Trodd Dorcas ati. "Mabli, wyt ti'n iawn dy hun am dipyn? Mae Elsi'r ochr draw ar y stondin lysiau."

Cytunodd Mabli ac i ffwrdd â Dorcas yn ysgafn droed.

"Dorcas, sut wyt ti? Mae'n brysur ryfeddol yma. Wyt ti am ddod draw i'r Gymdeithas nos fory?"

"Ydw, dwi'n edrych 'mlaen. Dydi Dad ddim wedi bod yn dda, ac ro'n i'n ofni byddai gormod o waith, ond dwi'n meddwl fedar Mam wneud hebdda i am awr neu ddwy."

Gwenodd Elsi. "Mi fydd Rhys Fychan yno," meddai efo winc.

"A phwy wyt ti'n ei lygadu?"

Cochodd Elsi. "Mae ei ffrind o'n hogyn clên, ond wnaiff o ddim edrych arna i os bydd Gwenno yno."

A sgwrsio bu'r ddwy nes i fam Elsi ddweud wrthi am gymryd sylw o'r cwsmeriaid.

Pan ddychwelodd Dorcas at ei stondin, roedd wyneb Mabli fel bwch.

"Lle buost ti gyhyd? Dwi wedi gwerthu dros hanner yr wyau ers i ti fynd."

"Hitia befo."

"Does gen ti ddim cariad, nag oes? Hei, Dorcas, oes gen ti?" gofynnodd, wedi synhwyro rhyw ddirgelwch yn y gwynt.

"Hitia di befo. Faswn i ddim yn deud wrthot ti petai gen i un beth bynnag."

Pwdodd Mabli. Roedd hi'n casáu Dorcas am fod yn gymaint hŷn na hi.

"Mae gen i hawl i grwydro rŵan," meddai Mabli ymhen dipyn.

"I lle'r ei di?"

"Leciwn i weld y stondin rubannau a lês – dim ond draw fan'cw y mae hi."

"Ôl-reit, ond paid â thin-droi."

"Hy, rwyt ti'n un dda i bregethu," atebodd Mabli dan ei gwynt.

Ni fu Dorcas yn hir yn gwerthu gweddill yr wyau, a sylwodd ar ddyn yn gosod bocs ar y llawr ac yn sefyll arno. Pan ddechreuodd siarad, ni allai ei glywed yn iawn, felly aeth yn nes ato. Buan y casglodd torf o'i amgylch – roedd digwyddiad fel hwn yn adloniant annisgwyl.

Gŵr yn tynnu at ei ddeg ar hugain oedd y siaradwr, efo gwallt cringoch a golwg ddwys ar ei wyneb.

"Be wnewch chi â'r fath wybodaeth, felly?" holodd y dyn. "Troi clust fyddar a mynd y tu arall heibio? Neu wnewch chi rywbeth i godi llais yn erbyn caethwasiaeth?" Edrychai i fyw llygad y dorf. "Dynion a merched fel chi a minnau ydyn nhw – efo calonnau'n curo, a chyrff sy'n gwaedu fel ninnau. Maen nhw'n teimlo i'r byw fel ninnau, bydd eu cyrff yn codi o'u beddrod fel ninnau, ac mae ganddynt eneidiau i fyw yn y byd a ddaw – fel ninnau. Yr unig wahaniaeth rhyngom yw lliw y croen, a dydi hynny ddim yn rheswm i'w trin fel anifeiliaid."

Doedd dim smic i'w glywed o'r dorf; roedden nhw yng nghledr ei law.

"Mae pobl yn gweld bai ar y caethion am godi yn erbyn eu meistri, ond pa ddewis arall sydd ganddynt?"

Doedd Dorcas erioed wedi clywed rhywun yn siarad gyda chymaint o angerdd.

"Hyd yn oed petaech yn rhoi'r bwyd a'r gwin gorau iddynt, maen nhw'n dal yn gaethion. Petaech yn eu gwisgo mewn sidan a lês, maent yn dal yn gaethion. Petaent yn byw mewn cestyll ac yn cysgu ar wely plu, maent yn dal yn gaethion. Nid ydynt yn berchen ar ddim – ddim y dillad sydd ar eu cefn, nid eu cyrff eu hunain, nid hyd yn oed eu plant.

"O doriad gwawr hyd fachlud haul, maent yn gweithio yn y caeau, yn chwysu mewn carpiau, ac yn cael eu fflangellu yn ddidrugaredd. Cânt eu trin fel anifeiliaid, a chânt eu lladd ar yr esgus lleiaf. Clywais am gaethferch yn bwydo ei babi ar ei bron – y peth mwyaf naturiol yn y byd – a'i chosb oedd cael ei fflangellu.

"Frodyr, mae sŵn eu hudo, llif eu dagrau, angerdd eu

hocheneidiau yn ein cyrraedd yma yng Nghymru o'r Caribî. Fedrwn ni ddim caniatáu i bobl barhau i fasnachu pobl!"

Trodd y dyn wrth ei hymyl at Dorcas.

"Am be mae hwn yn fwydro, dywed?"

"Am gaethweision," atebodd Dorcas, "am sut rydyn ni'n trin pobl ddu."

"Pwy bobl ddu sy'n fan hyn?" holodd gan edrych o'i gwmpas. "Wela i 'run. I be mae o'n trafod caethweision yn Nolgellau?"

"Fedra i ddim fforddio na gwas na chaethwas," meddai dyn arall. "Beth ydi o – cenhadwr?"

"Wn i ddim be ddiawch ydi o," meddai'r trydydd dyn, ac arogl diod arno, "ond nid yn Nolgellau mae o i fod."

"Wedi colli'r ffordd tua Mallwyd, dwi'n credu."

"Siŵr o fod i ti. Hawliau dynion du, myn uffern. Be am hawliau ni'r Cymry?" a bloeddiodd y lleill eu cymeradwyaeth.

O rywle, lluchiodd rhywun wy at y dyn oedd wedi annerch. Wedi hynny, aeth pethau'n flêr. Gobeithiai Dorcas nad un o'r wyau a werthodd hi ydoedd. Daeth Martha Gelli ati a'i braich o amgylch ysgwyddau Mabli, ac ôl crio mawr ar honno.

"Dyma ni, wedi dod o hyd i Dorcas o'r diwedd! Poeni oedd y gr'adures ei bod wedi eich colli."

Teimlodd Dorcas lawer mwy o gywilydd ei bod wedi anghofio am ei chwaer fach wrth wrando ar y siaradwr.

"Mae'n ddrwg gen i, Martha, a diolch i chi am ofalu amdani."

"Rhaid i chi ddim, neno'r Tad." Edrychodd Martha o'i chwmpas.

"P'run ydi'r cariad 'ta?" gofynnodd efo winc, cyn ei throi tua thref.

Wrth droi i fyny Allt Ganol a hwythau ar eu ffordd adref, gofynnodd Mabli, "Am beth oedd y dyn ar y bocs yn siarad?"

"Glywaist titha fo?"

"Roedd hi'n anodd peidio. Roedd o'n fwy croch na'r un pregethwr dwi 'di ei glywed," meddai, wrth siglo'r fasged yn ôl ac ymlaen. "Y rhai sy'n cael eu chwipio ac yn crio ac sy'n cael eu trin fel anifeiliaid – pwy ydyn nhw?"

"Caethweision."

"Be ydi hynny?" holodd Mabli, yn llawn diddordeb.

"Pobl ddu sy'n gorfod gweithio'n galed ofnadwy."

"Bechod drostyn nhw. Ond yn lle maen nhw?"

"Maen nhw'n byw'n bell i ffwrdd dros y môr, yn y Caribî."

"Ond pam mae pobl mor gas efo nhw?"

"Am bod nhw'n ddu, debyg." Roedd pregeth y dyn ar y bocs wedi ysgwyd Dorcas, ac wedi peri iddi feddwl. A rŵan, dyma Mabli efo'i chwestiynau rif y gwlith.

"Ond ddaru nhw ddim dewis bod yn ddu, naddo?"

"Naddo, ddim mwy na ddaru ni ddewis bod yn wyn."

Bu Mabli'n dawel am dipyn, ac oedodd Dorcas i'w chwaer ddal i fyny efo hi.

"Methu deall ydw i," meddai'r fechan, "pam oedd o'n dod i Ddolgellau i ddeud hynny – am y bobl ddu ... y caethwinion ..."

"Caethweision ydi'r gair, Mabli."

"Ia, rheini. Beth sydd wnelo ni â nhw?"

"Pobl Dolgellau sy'n gneud eu dillad nhw."

Stopiodd Mabli'n stond ac edrych yn syn ar Dorcas.

"Pwy?"

"Ni ... ni sy'n gneud y defnydd. Ti'n gwybod y wlanen 'dan ni'n ei gwehyddu? Mae'n cael ei gwerthu ac yn mynd i'r

Amwythig. Wel, honno sy'n mynd i'r Caribî, ac mae'n cael ei gneud yn ddillad i'r caethweision."

Ailgychwynnodd Mabli gerdded, a'r pryder ar ei gwedd wedi mynd.

"Wel mae hynna'n rhywbeth clên i'w neud i'r caethweision, dydi? 'Blaw am bobl Dolgellau, fasan nhw'n noethlymun."

"Falla wir," atebodd Dorcas, a thawelodd y sgwrs. Ond dillad neu beidio, roedd o'n sobr eu bod yn cael eu chwipio, a bod pobl eraill mor gas efo nhw.

Pennod 5

Tra oedd Dorcas a Mabli yn y farchnad, roedd eu mam yn brysur yn pobi a Lewis i fod yn cadw llygad ar Deio.

"Dwi eisiau Dorcas," cwynodd Lewis. "Mae hi i fod i roi mwy o lythrennau i mi." Teimlai mai gwaith israddol oedd gofalu am fabi.

"Mi fydd yn ôl unrhyw funud rŵan," meddai Ann Edwards wrth roi'r bara yn y ffwrn, cyn gwagio'r arian oedd yn y tun a gosod y ceiniogau'n bentwr ar y bwrdd.

"Dal Deio am funud tra dwi'n cyfri'r pres."

"Ga i eich helpu chi efo syms, Mam?"

"Lewis, mae Mam eisiau munud o dawelwch ... mae'r rhain yn diflannu'n gynt bob wythnos."

Gwyliodd Lewis ei fam yn cyfri. Roedd ganddo ddiddordeb mewn pethau'n diflannu.

Roedd golwg bryderus ar ei hwyneb, fel yr oedd bob tro wrth drin pres.

Gafaelodd llaw fechan Deio mewn ceiniog ac mewn dim, roedd o'n ceisio ei rhoi yn ei geg.

"Lewis – tyn honna o'i geg! Maen nhw'n betha prin fel mae hi ..." dwrdiodd ei fam.

"Eisiau bwyd mae o."

Eisiau bwyd maen nhw drwy'r amser, poenodd Ann. Mwy a mwy o fwyd, a llai o fodd talu amdano.

"Peth rhyfedd ydi pres, 'te?" meddai Lewis. "Fedrwch chi

mo'i fwyta, ond fedrwch chi ei newid o am betha i'w bwyta."

"Peth rhyfedd iawn ydi pres," atebodd ei fam, "a'r peth rhyfeddaf ydi nad oes 'na byth ddigon ohono."

Ar hynny, agorodd y drws a daeth Dorcas a Mabli i mewn. Goleuodd wyneb Lewis, a rhoddodd Deio ym mreichiau ei chwaer fawr.

"Dyma dipyn bach mwy at y celc," meddai Mabli a rhoi'r arian i'w mam. "Mi werthon ni nhw'n reit sydyn. Fi wnaeth y rhan fwyaf o'r gwerthu ..." meddai, gan edrych ar Dorcas.

"Da iawn ti, dwi wedi rhoi'r bara yn y popty, Dorcas," meddai Ann.

"Ga i funud bach i gael fy ngwynt ataf?" mynnodd Dorcas.

"Eisiau paratoi tamaid i ginio sydd ... dwi bron â gorffen efo'r rhain ..."

Edrychodd Dorcas ar y bwrdd a sylwi ar amlen.

"Dach chi wedi cael llythyr!" meddai.

Cythrodd Ann amdano a'i wthio dan ei barclod. Synhwyrodd Dorcas ddirgelwch yn syth.

"Newyddion drwg?" gofynnodd yn bryderus.

Edrychodd ei mam i fyw ei llygad.

"Naci, Dorcas, ond mae gen i rywbeth i'w ddeud wrthot ... Yli, be am i mi neud paned?"

Gwaeddodd ar Mabli, a gofyn fyddai hi'n gofalu am y ddau fach – yn rhywle heblaw'r gegin.

Eisteddodd Dorcas yn y gadair, a phob math o bethau'n rasio drwy ei meddwl. Oedd ei mam yn wael? Oedd rhywun arall yn wael? Oedd rhywbeth mawr ar fin cael ei ddatgelu iddi? Roedd ei mam yn methu aros yn llonydd, yn stwna efo'r tecell, yn agor drws y ffwrn, yn prysuro i nôl tebot a chwpanau. Doedd Dorcas ddim wedi ei gweld fel hyn o'r blaen.

"Mam ..."

"Fydda i yno rŵan ..."

"Wnelo hyn rywbeth â'r llythyr, does? Hitiwch befo am y baned – jest deudwch wrtho i."

Ond roedd yn rhaid i Ann Edwards gael gwneud pethau yn ei ffordd ei hun. Daeth at y bwrdd ymhen hir a hwyr, efo'r tebot a'r ddwy gwpan.

"Doeddwn i ddim yn gneud dim byd tu ôl i dy gefn di, ond doedd dim diben dy boeni am ddim rheswm ..."

Eisteddodd ac edrych ar Dorcas, ac yna ar y pentyrrau o geiniogau ar y bwrdd. "Mi wyddost fod petha wedi bod yn fain arnon ni'n ddiweddar ..."

"Ddim gwaeth nag arfer ..." Gwelodd ei mam yn edrych yn bryderus, "Neu ydyn nhw?"

Edrychodd ei mam ar y ceiniogau.

"Ddim eisiau poeni'r plant ydw i, ond rhwng bob dim, efo llai o waith, dy dad ddim wedi bod yn iawn, prisiau'n codi ... Beth bynnag, anfonais air ... Wel, cyn hynny, dyma fi'n meddwl falle fasa modd i ti fynd i weini ..."

Teimlodd Dorcas ei stumog yn troi. Roedd ambell un o'i ffrindiau'n gweini, ond doedd hi ddim wedi ystyried mai dyna ddeuai i'w rhan hi.

"Ond mae mwy na digon o waith i mi yma."

Estynnodd ei mam am y llythyr.

"Oes, oes, dyna sy'n ei neud yn anodd. Sgwennu gair at fy chwaer wnes i, yn holi oedd yna rywbeth ar gael yn Arfon, a tase hi wedi deud nad oedd dim gobaith, dyna fyddai ei diwedd hi."

Edrychodd Dorcas ar y llythyr, ac wedyn ar ei mam.

"Ond ..."

"Ond mae Geini yn deud fod gwaith i'w gael – ym Mangor."

Fferrodd Dorcas. Petai rhywun wedi lluchio pwcedaid o ddŵr oer drosti, ni fyddai wedi cael mwy o sioc.

"Bangor? Ond mae fan'no mor bell!"

"Mae rhaid i ti ystyried y peth gynta, ond mi fydda fo'n waith da iawn, mewn plasty crand. Mi fyddet yn cael dy gadw ac yn ennill cyflog, a byddai'n un yn llai i'w fwydo yma. Mae Cadi, dy gyfnither, yn gweithio fel morwyn yno'n barod, a mi fyddet yn sicr o gael dy drin yn dda, Dorcas ..."

Daeth Lewis i mewn ar ras, a Deio a Mabli tu ôl iddo.

"Mae 'na ogla llosgi, Mam," meddai Mabli.

"Y bara!" gwaeddodd ei mam, a rhuthro i dynnu'r ddwy dorth o'r popty.

Daeth Mabli at y bwrdd a Deio yn ei breichiau, ac roedd Lewis yn llawn diddoreb yn gweld y bara'n dod o'r ffwrn. Edrychodd Dorcas arnynt, fel rhywun o'r tu allan. Dyma ei theulu, i fan hyn roedd hi'n perthyn – doedd dim modd iddi feddwl amdani ei hun yn nunlle arall. Byddai ei bywyd yn chwilfriw.

Llanwodd y gegin ag arogl y bara ffres.

"Dydyn nhw ddim yn rhy ddrwg," meddai ei mam efo ochenaid o ryddhad. "Mi allsai fod yn waeth."

Welai Dorcas ddim sut y gallai pethau fod yn waeth. Aeth tua'r drws i'r cefn fel rhywun mewn perlewyg.

"Dorcas, paid â mynd rŵan!" gwaeddodd ei mam.

"Dim ond eisiau awyr iach ydw i."

"Ia, ond mae eisiau gneud tamaid o ginio i'r rhain, a dwi'n brysur efo'r toes ..."

Trodd Dorcas ati i wneud dipyn o fara llaeth i bawb, a daeth cwestiynau lu i'w meddwl.

"Am faint fasa rhaid i mi aros yn y lle 'ma, Mam?"

Ochneidiodd ei mam. "Wn i ddim, Dorcas. Does dim byd wedi'i benderfynu eto. Beth am i ni gael tamaid i'w fwyta gynta? Mabli, dos i alw ar Ifan, wnei di?"

Pennod 6

Wrth y gwŷdd, syllodd Dorcas ar y gwead. Llinellau syth unffurf oeddent, yn batrwm o'i dyfodol. Doedd dim dwywaith amdani – byddai'n rhaid iddi fynd i Fangor. Roedd wedi troi'r mater yn ei phen drosodd a throsodd, a doedd dim ffordd allan. Roedd hyd yn oed wedi holi ei ffrindiau, y rhai oedd yn gweini, a oedd unrhyw waith y gallai ei wneud. Byddai gweini'n lleol filgwaith gwell na mynd i rywle mor bell â Bangor. Arweiniodd y wennol rhwng yr anwe, rhoi ei throed i lawr, symud y cribin, ac ailadrodd y dasg. Ers rhai wythnosau bellach, roedd wedi hen feistroli'r grefft o wehyddu. Credai mai dyma oedd ei dyfodol, yn helpu ei mam gartref, tendian y plant, golchi a chogino, nyddu a gwehyddu. Doedd hi ddim eisiau mwy mewn bywyd.

Oedd, roedd bywyd yn gallu bod yn undonog, ond toedd bywyd pawb yn undonog ar brydiau? Wnaeth hi erioed ddychmygu y gallai hyn ddigwydd iddi – y gallai gael ei thynnu ymaith oddi wrth bopeth oedd yn gyfarwydd iddi, yn gartref, teulu, ffrindiau, capel, a chael ei hanfon i ffwrdd yn bell i le dieithr.

"Fydd o ddim yn gwbl ddieithr. Bydd Cadi yno," roedd ei mam wedi ceisio dweud wrthi ganwaith. Ond er bod ei chyfnither yn ddigon agos iddi o ran oed, doedd Dorcas ddim yn ei nabod. Lisa, Elsi a Sara oedd ei ffrindiau hi, ffrindiau yr oedd wedi eu nabod ers ei bod yn blentyn bach. Byddai'n gorfod torri cysylltiad â nhw, a hyd yn oed petai'n dod yn ôl wedi blwyddyn, fyddai pethau ddim yr un fath. Byddai eu bywydau hwy wedi mynd yn eu blaen hebddi. A Rhys, Rhys Fychan, oedd mor annwyl efo hi – byddai o'n canfod merch arall i wenu arni ac ennill ei chalon.

Morwyn fyddai Dorcas, morwyn fach. Wyddai hi ddim am ddyletswyddau morwyn. Ni fyddai crefft megis gwehyddu'n dda i ddim mewn plas. Glanhau, brwsio a sgwrio lloriau fyddai ei gwaith o fore gwyn tan nos. Byddai bywyd yn erchyll ... Stopiodd Dorcas ac edrych ar ei gwaith. Teimlodd y dagrau'n cronni yn ei llygaid. Yna, clywodd sŵn y tu allan a daeth ei thad i mewn.

"Mae dy fam wedi torri'r newydd i ti," meddai'n dyner.

Amneidiodd Dorcas, a gadael i'r dagrau ddisgyn. Daeth ei thad ati a gafael amdani.

"Mae'n ddrwg gen i. Mi rown y byd am dy gadw di yma."

Pwysodd Dorcas yn erbyn ei gorff. Os na allai ei thad wneud dim i'w helpu, roedd ar ben arni.

"Mae o mor bell, Dad."

Ochneidiodd Elis Edwards.

"Mi wn. Mi fyddi angen arfogaeth go gryf i wynebu'r hyn sydd o'th flaen."

Edrychodd Dorcas arno.

"Be mae hynny'n ei olygu?"

"Dyna mae'r Gair yn ei ddysgu inni – i ni dderbyn y 'byr ysgafn gystudd'. Dim ond i ni bwyso ar Iesu Grist, a mi wnaiff O edrych ar ein holau."

"Felly, dwi fod i dderbyn y sefyllfa?"

"Dydan ni ddim yn smalio y bydd yn hawdd. Dydi o ddim yn hawdd i mi dderbyn fod fy iechyd yn pylu, neu fod y fasnach wlân ar drai. Ond 'dan ni i fod i drio derbyn y beichiau y mae bywyd yn eu taflu atom. 'Canys ym mha gyflwr bynnag y byddwyf, fod yn fodlon iddo', fel mae Paul yn ei ddeud."

Byddai'n dda gan Dorcas pe na bai ei thad yn rhaffu adnodau. Os oedd o'n help iddo *fo*, doedd o ddim yn codi ei chalon hi. Eisiau llais ei thad oedd hi, nid beth oedd yr Apostol Paul yn ei feddwl.

Felly chafodd Dorcas ddim cyfle i dderbyn na gwrthod y cynnig i weini. Derbyniodd pawb mai dyna fyddai'n digwydd, a sgubwyd Dorcas gyda'r llif. Eglurwyd i aelodau fengaf y teulu, ac roedd Mabli'n genfigennus.

"Felly dwyt ti ddim eisiau mynd?"

Wrthi'n nyddu oedd Dorcas, a Mabli'n cardio.

"Ddim o gwbl." Syllodd Dorcas ar olwyn y droell yn troi.

"Roedd Mam yn deud mai i dŷ crand roeddet ti'n cael mynd, wel – mwy na crand. Castell ddeudodd hi."

"Castell Penrhyn ydi enw'r lle. Dwi'm yn meddwl mai castell ydi o go iawn. Ond mae 'na Lord yno, a Lord Penrhyn ydi ei enw fo."

Roedd llygaid Mabli fel soseri.

"Mi wyddost ystyr hyn – mae ein breuddwydion ni'n dod yn wir! Am faint 'dan ni wedi sôn am gael byw mewn plasty crand?"

"Fel morwyn ydwi'n mynd yno, Mabli."

Roedd Mabli wedi cael gafael ar y bowlen roedd ei mam wedi bod yn gwneud teisen ynddi, ac yn llyfu'r gweddillion.

"Dim ots, nac ydi? Bydd mab y plas wedi rhyfeddu at dy harddwch, a bydd eisiau dy briodi. Wedyn, fydd dim rhaid i ti weithio o gwbl. Gei di ffrog grand liw clychau'r gog, a mi fyddi'n ledi."

Am unwaith, doedd gan Dorcas ddim amynedd efo breuddwydion ffôl ei chwaer.

"Mae'n bryd i ti ddechrau sylweddoli sut mae petha yn y byd go iawn. Tyfa i fyny, wnei di," meddai wrth Mabli'n chwerw.

Edrychodd Mabli'n sydyn ar ei chwaer, yn amlwg wedi ei brifo i'r byw.

"Mae petha felly *yn* gallu digwydd! Dwi wedi clywed digon o storis am ferched tlawd yn toddi calon dynion cyfoethog. Dydi o ddim yn amhosib, a gen ti lot mwy o siawns os wyt ti'n gweithio mewn castell! Paid â bod mor ddrwg dy hwyl, Dorcas."

Syllodd Dorcas ar yr olygfa o'i blaen, ar y blawd a'r siwgr dros fochau ei chwaer, y llestri'n gorchuddio'r bwrdd, a holl 'nialwch bywyd bob dydd yn llenwi'r lle.

"Dydw i ddim eisiau gadael fan hyn, a does neb yn gwrando arna i," meddai'n chwerw.

Cododd Mabli.

"Iawn, os nad wyt ti eisiau mynd, falle fasa Mam a Dad yn gadael i mi fynd yn dy le ..."

"Paid â bod yn wirion, rwyt ti'n rhy ifanc, siŵr."

Safodd Mabli'n herfeiddiol o'i blaen.

"Fydda i'n un ar ddeg tro nesa, a mae 'na ferched 'run oed â mi'n forynion." Aeth ati a gafael yn ei braich.

"O Dorcas, chawn ni byth gyfle fel hyn eto! Beth am i'r ddwy ohonon ni fynd yno i weithio? Mi fydden ni'n gwmni i'n gilydd, a fasa petha'n siŵr o fod yn iawn."

Wrth feddwl am ei chwaer yn dod yn gwmni iddi, ystyriodd Dorcas mor braf fyddai hynny.

"Mi fydde hynny'n hyfryd, Mabli. Ella cei di ddod ataf mewn blwyddyn neu ddwy ..."

"Wnei di ddim anghofio amdana i?"

Gafaelodd Dorcas yn ei chwaer a rhoi ei braich amdani.

"Fydd gen i fwy o hiraeth amdanat ti na neb – chdi a dy freuddwydion gwallgo."

"Mae blwyddyn yn lot o amser." Trodd Mabli i wynebu ei chwaer, "Ti'n cael dillad newydd, dwyt ... Sut rai wyt ti am eu cael?"

"Fyddan nhw fawr gwell na'r wlanen 'dan ni'n ei nyddu. Dillad gwaith fyddan nhw, i sgwrio ar fy ngliniau a blacledio llefydd tân ..."

Sibrydodd Mabli yn ei chlust. "'Mond dros dro, cofia di ... wedyn fydda i'n cyrraedd, a mi gei di weld sut daw breuddwydion yn wir. Un peth fedri di fod yn sicr ohono – mi fydd yn fyd cwbl wahanol i Ddolgellau!"

Dyna oedd ofn mwyaf Dorcas.

"Wyddost ti be wna i, Mabli? Sut fyddet ti'n lecio i mi sgwennu llythyr atat yn disgrifio'r lle a 'ngwaith, a'r ledis crand 'ma. Leciet ti hynny?"

Roedd wyneb Mabli'n bictiwr.

"Does 'na neb 'rioed wedi sgwennu llythyr ata i. O, diolch, Dorcas."

A chofleidiodd Mabli ei chwaer, a'i gwasgu'n dynn. Ac wrth dderbyn y goflaid honno, mynegodd gymaint o gariad fel na byddai Dorcas byth yn ei anghofio.

Pennod 7

Siglwyd Dorcas yn ôl ac ymlaen, yn ôl ac ymlaen, ac wrth i'w chorff gael ei hysgwyd yn y modd hwn, roedd ei meddyliau hefyd yn cael eu lluchio hwnt ac yma. Roedd ar drol, a gwich yr olwynion oedd yr unig beth i'w glywed. Ambell waith, câi ei hysgwyd drwyddi wrth i'r drol fynd dros bant yn y ffordd. Petai'r ysgwyd yn peidio, dim ond am 'chydig bach, câi gyfle i roi trefn ar ei meddyliau.

Roedd ar y ffordd cyn iddi sylweddoli, bron. Sut digwyddodd pethau mor sydyn? Ddylai hi fod wedi gwrthwynebu mwy? Ond i ba ddiben? Roedd y penderfyniad wedi ei wneud ... Roedd Dorcas yn gadael cartref ac yn mynd i weini i ben arall y byd. Fyddai waeth iddi fod ar ei ffordd i Awstralia ddim.

Un rhuthr mawr oedd y trefniadau yn y diwedd, y munud y clywsant fod Robin Gyrrwr yn mynd dri chwarter y ffordd efo'i drol ac yn gadael o fewn pum niwrnod. Roedd yn gyfle rhy dda i'w golli. Doedd dim trefn ar y ffarwelio na'r pacio. Lluchio pethau at ei gilydd driphlith draphlith, bachu cwta awr i weld Leusa ac Elsi, a'r rheini'n methu credu ei bod yn mynd go iawn. Trio credu'r ffaith ei hun a wnâi Dorcas yn ystod ei dyddiau olaf yn Nhyddyn Pricia wrth edrych ar Deio yn cysgu yn ei grud, neu egluro i Lewis a Mabli lle roedd hi'n mynd. Pawb yn dweud y deuai yn ei hôl, ond heb wybod pryd. Pe deuai yn ôl, nid yr un Dorcas fyddai hi.

Cofiodd edrych dros ei hysgwydd i gael ei golwg olaf o'r

dre. Prin ei bod wedi bod y tu hwnt i Ddolgellau yn ystod ei hoes. Dyma fu ffiniau ei byd. Rŵan, heb gwmni o gwbl, roedd wedi cael ei lluchio allan, a doedd ganddi neb ond hi ei hun i ddibynnu arno. Roedd yn rhy ifanc i orfod gwneud hyn. Tawedog iawn fu hi ar hyd y daith, ac roedd Robin Gyrrwr, wedi ei ymdrechion cyntaf i gynnal sgwrs, wedi deall nad oedd eisiau dweud fawr o ddim. Arferai hogan hynaf Tyddyn Pricia fod yn ferch ddigon serchog, ond roedd wedi llyncu mul y diwrnod hwnnw, yn amlwg ei bod yn mynd i ffwrdd i weini'n groes i'w hewyllys.

Ofn yr hyn oedd o'i blaen roedd Dorcas, ac roedd hwnnw'n deimlad newydd. Tan hynny, roedd wedi bod yn edrych ymlaen at dyfu'n wraig, ac roedd cynnwrf yn perthyn i'w bywyd. Cwynai nad oedd ei bywyd yn ddigon cynhyrfus, mae'n wir, ond bod yng nghwmni ei theulu a'i ffrindiau oedd y peth gwirioneddol bwysig. Yn awr, roedd antur fwyaf ei bywyd wedi cychwyn, ac roedd wedi ei pharlysu gan ofn ac unigrwydd. Doedd pethau ddim yn argoeli'n dda.

Yn ei blaen yr âi'r drol a'r ceffyl, a'r cyfan oedd Dorcas ei eisiau oedd troi yn ei hôl. Falle fod Robin Gyrrwr wedi anghofio rhywbeth, falle nad oedd yn teimlo'n dda, falle byddai'r ceffyl yn colli pedol. Ond erbyn cyrraedd Ganllwyd, ofer oedd dymuno; roedd pob cam a gymerai'r ceffyl yn mynd â hi'n bellach ac ymhellach oddi wrth Dyddyn Pricia a phopeth cyfarwydd. Erbyn iddi golli golwg ar Gader Idris, gwyddai ei bod bellach yn Nhir Neb.

Ei gofid mawr oedd na chafodd gyfle i weld Rhys. A hyd yn oed petai wedi ei weld, beth a ddywedai wrtho? Sut oedd dweud ffarwél p'run bynnag ... yn enwedig wrth rywun roedd hi'n ei garu o hirbell? Hyd yn oed efo'i ffrindiau a'i theulu, doedd hi ddim wedi gallu ffarwelio'n iawn – ni wyddai sut i wneud. Un munud roedd hi efo'i theulu, yn byw ac yn bod yn eu mysg, y munud nesaf, roedden nhw wedi diflannu, fel cymeriadau mewn chwedl, ac roedd hithau ar drol ar ei ffordd i ebargofiant. Roedd o'n ddigon i beri i rywun orffwyllo.

Roedd ganddi ddarlun o bob un o'i theulu yn ei chof – Mabli'n berwi o eiddigedd; Ifan yn glên – a'r unig un oedd yn deall go iawn sut y teimlai; Lewis yn gwybod bod rhywbeth yn bod ac yn beichio crio, a Deio yn edrych arni'n syn.

Teimlodd Dorcas y dagrau'n dod. Doedd hi ei hun ddim wedi sylweddoli gwir arwyddocâd y gwahanu nes i'w rheini ei gwasgu mor dynn, prin y gallai anadlu. Gwawriodd arni fod rhywbeth mawr, rhyw drobwynt difrifol, yn digwydd yn ei bywyd, rhywbeth di-droi'n-ôl.

Pan ddaeth Betws-y-coed i'r golwg, eglurodd Robin Gyrrwr mai dyna lle roedd yn rhaid iddyn nhw wahanu. Roedd wedi dweud wrthi pa ffordd i'w chymryd, a doedd dim amdani wedyn ond cerdded yr ugain milltir olaf i Gastell Penrhyn.

"Gobeithio bydd petha'n well nag wyt ti'n ofni – er dwi'n amau'n fawr y byddan nhw," oedd geiriau olaf Robin Gyrrwr. Pam ddeudodd o hynny? Oedd o'n ceisio ei rhybuddio? Beth yn y byd oedd disgwyl iddi ei wneud? Diolchodd Dorcas yn gwrtais a'i wylio'n mynd yn ei flaen, nes nad oedd o a'i drol yn ddim mwy na smotyn ar y gorwel.

Cododd Dorcas ei sgrepan a cherdded tuag at Ddyffryn Ogwen. Teimlai fel petai'n cerdded tua'i chrocbren.

* * *

Sawl gwaith aeth Dorcas dros y daith honno yn ei chof, a'r oriau o gerdded drwy Ddyffryn Ogwen i Landygái ac i Gastell Penrhyn? Y blinder oedd wedi aros hwyaf yn ei chof. Mewn cymhariaeth, roedd y daith ar gert Robin Gyrrwr yn bleser pur. Cadwodd y tywydd yn sych, drwy drugaredd, ond ni ddaeth ar draws neb arall yn cerdded ar hyd y ffordd. Ei sgrepan oedd yr unig beth oedd ganddi, ac wrth iddi ddechrau tywyllu, eisteddodd Dorcas ar fin y ffordd ac estyn am y tocyn yr oedd ei mam wedi ei baratoi ar ei chyfer. Ynddo roedd darn o fara a chaws, ac fe'i bwytodd yn awchus gan ei bod ar ei chythlwng. Gwyddai mai dyna'r enllyn olaf a gâi am amser maith iawn. Faint yn rhagor o ffordd oedd 'na? Roedd mynydd Tryfan yn rhythu'n fygythiol arni fel cawr blin, a'r cwbl a welai o'i chwmpas oedd mynyddoedd. Yn yr unigedd doedd dim tŷ i'w weld, heb sôn am gastell.

Awr yn ddiweddarach, roedd wedi cyrraedd pen ei thennyn. Diffygiodd, a mynd ar ei gliniau wrth fôn y clawdd. Oni welai rywbeth yn go fuan, ni fyddai ganddi ddewis ond cysgu yn y clawdd ac ailgychwyn y bore wedyn. Yn y man, gwelodd ŵr a dwy fuwch yn dod i'r chwfwr.

"Mae golwg flinedig arnoch, 'mechan i," meddai. "Ar eich ffordd i ble ydych chi?"

"Llandygái," atebodd Dorcas, "ydi o'n bell?"

"Rhyw ddwy filltir arall a byddwch yno. Pwy yn Llandygái ydych chi'n ei nabod? Os mai mynd i fferm yno rydych chi, mae 'na siawns go dda y bydda i'n ei nabod."

"Mynd i Gastell Penrhyn ydw i."

Ai dychymyg Dorcas oedd yn ei thwyllo, ynteu tywyllodd yr olwg yn llygaid y dyn?

"O," meddai'n siomedig. "Na, dydw i'n nabod yr un enaid byw yn fan'no."

Dymunodd yn dda iddi, ac aeth Dorcas ymlaen ar ei thaith.

Pe gwyddai Dorcas yr hyn a wyddai wedyn, byddai wedi troi ar ei sawdl, a cherdded efo'r gŵr a'r ddwy fuwch yr holl ffordd yn ôl i'w chartref. Ond y noson honno, roedd ganddi ffydd o hyd yn y natur ddynol. Dychmygai y câi groeso ar ddiwedd y daith, y câi fwyd a gwres a gwely clyd i gysgu ynddo. Diau mai cysur y syniad hwnnw a'i cadwodd i fynd y rhan olaf o'r daith.

Yna, dechreuodd fwrw.

Pennod 8

Pan gyrhaeddodd Dorcas borth Castell Penrhyn, a hithau'n tynnu at hanner nos, y syniad cyntaf ddaeth i'w phen oedd fod y fynedfa'n debyg i Borth y Nefoedd, gan mor fawreddog yr oedd. Felly roedd o'n gastell go iawn! Roedd y porth yn enfawr, efo dau dŵr bob ochr, a mynedfa ar siâp hanner cylch. Uwchben y fynedfa ceisiodd Dorcas weld y ddelwedd ar y garreg. Edrychai'n fygythiol iawn – braich yn gafael mewn bwyell a draig o'i blaen ar fin cael ei tharo. Aeth ias i lawr ei hasgwrn cefn. Doedd hi mo'r ddelwedd fwyaf croesawgar.

Chwarter awr yn ddiweddarach, roedd Dorcas druan yn dal i gerdded ar y llwybr, a hynny i fyny bryncyn. O'r diwedd, gwelodd y castell, neu amlinelliad ohono, ac aeth i guro'r drws. Doedd neb yn ateb. Am eiliad, dychrynodd wrth feddwl ei bod yn y lle anghywir, ond roedd hynny'n amhosib. Hwn oedd yr adeilad mwyaf a welodd ar ei thaith, ac roedd o bendant yn gastell. Yr oedd wedi cerdded i'r cefn, i fynedfa'r gweision a'r morynion.

Gwyddai fod pobl yno – roedd golau egwan yn un o'r ffenestri. Gwaeddodd eto ac eto. Curodd ar y ddôr gyda hynny o nerth oedd yn weddill yn ei chorff blinedig. Falle mai dyna'r adeg y teimlodd fwyaf unig. Yn sydyn, canfu raff wrth y ddôr a'i thynnu. Clywodd sŵn cloch, ac yna, o ddyfnderoedd y castell, clywodd sŵn traed. Agorwyd y drws. Os oedd Dorcas yn disgwyl croeso, bu'n rhaid iddi ailfeddwl y munud y gwelodd yr wyneb sarrug yn rhythu arni.

"Yes, who are you?" meddai'r dyn barfog, gan godi'r llusern yn ei law.

"Helô, Dorcas ydw i."

"Speak up, girl, what da you want?"

"Dorcas ydw i, o Ddolgellau ... wedi dod yma i weini ... morwyn ydw i."

"Speak English – I've no idea what you're saying."

"Dorcas Edwards – new work – here," crafangodd Dorcas am hynny o eiriau Saesneg y gallai feddwl amdanynt.

"Don't know what you're on about. Come in – we'll put you up til the mornin' and then you can explain to someone ... come on!"

Camodd Dorcas dros y trothwy, a dilyn y dyn tal â'r llusern. Pwyntiodd at stafell fechan yn llawn sgidiau a hetiau.

"Sleep there, and you can sort ye'self out in the mornin' – I'll find you a blanket. What you're doing landing in the middle o' the night, I've no idea," meddai'n swta, a gadael Dorcas ar ei phen ei hun. Daeth yn ei ôl ymhen dipyn a lluchio blanced tuag ati.

Edrychodd Dorcas o'i chwmpas wedi cau'r drws, ond ni welai unrhyw fath o wely yn y stafell. Y cwbl oedd yno oedd bwrdd efo sgidiau budron a hetiau silc arno, a phob math o frwshys a 'nialwch glanhau. Roedd cadair wrth y lle tân, ac eisteddodd yn honno, a gosod y blanced drosti. Roedd yn un o'r nosweithiau mwyaf anghyfforddus a gafodd Dorcas erioed, ond roedd blinder wedi ei threchu i'r fath raddau fel y syrthiodd i gysgu'n syth. Dychmygai beth fyddai Mabli druan yn ei ddweud pe gwelai hi dan y fath amgylchiadau. Cafodd freuddwyd annifyr fod yr hetiau silc wedi dod yn fyw ac yn hedfan o'i chwmpas, a bod y sgidiau budron yn ei chicio er nad oedd traed ynddynt.

Deffrodd efo'r dyn blin yn ei hysgwyd ac yn dweud wrthi am godi. Parablodd a gwnaeth stumiau'n dangos bod angen iddi symud oddi yno, ac wedi ei ddilyn i lawr mwy nag un coridor, ac i fyny mwy nag un set o risiau, canfu Dorcas ei hun yn sefyll o flaen gwraig ddigon blin yr olwg.

"Dorcas Edwards, I presume?"

"Ia!" O'r diwedd roedd rhywun yn ei nabod.

"You took your time coming here. We were expecting you yesterday afternoon."

Doedd meistrolaeth Dorcas o'r Saesneg ddim gystal â hynny, a phenderfynodd mai cadw'n dawel oedd y peth gorau. Edrychodd ar y lle tân cysurus efo cloc crand a thrugareddau difyr ym mhob cornel. Felly dyma sut oedd byddigions yn byw!

"Do you wish to apologise, or give us an explanation – presuming they haven't sent us a mute?"

Edrychodd y wraig yn feirniadol arni, gan ei hastudio o'i chorun i'w sawdl.

"Dwi'n nabod rhywun yma – morwyn o'r enw Cadi. Cadi Williams."

"Kadi is your cousin, I understand."

Yn y diwedd, wedi lot o duchan, penderfynwyd anfon am Cadi i geisio gwneud rhyw fath o ddeialog yn bosib.

Agorodd y drws a daeth morwyn eiddil drwyddo, efo gwallt syth brown a llygaid difynegiant. Gwenodd pan welodd Dorcas – yr oedd yn amlwg yn falch o'i gweld. Dyna'r wên gyntaf i Dorcas ei derbyn ers amser. Ceisiodd Dorcas ganfod rhyw debygrwydd teuluol, ond ar wahân i siâp ei thrwyn, nid oedd dim cyfarwydd am ei gwedd. Rhyfedd meddwl fod mamau'r ddwy'n chwiorydd.

"You didn't tell us that your cousin was a monoglot, Kadi."

Ni wyddai Cadi beth oedd 'monoglot', felly ni atebodd.

Ochneidiodd y wraig. Edmygai Dorcas y lamp ar y bwrdd a'r clustogau ar y gadair gyfforddus. Roedd popeth yn lanwaith ac yn sgleinio.

"A fine pair we have here. Let's hope her English will improve. In the meantime, you'll have to intepretate for her – understand, Kadi?"

Doedd gan Cadi 'run syniad beth oedd 'interpretate' chwaith, ond amneidiodd.

"And what is she called again?"

"Dorcas, m'am."

"What kind of name is that? It's unpronouncable. I'll call her Edwards. She'd better be a good cleaner. Show her to her room and give her her clothes. She can stay with you while she learns the ropes. You may leave."

"Thanks, m'am."

Trodd Cadi at Dorcas. "Mae hi'n iawn inni fynd. Dilyn fi."

Drwy ddrysfa o goridorau oedd fel twll cwningen, dilynodd Dorcas ei chyfnither. Roedd y lle'n anferth. Lwc fod Cadi efo hi, neu byddai wedi mynd ar goll yn lân. Wedi cyrraedd y stafell wely yn y to, trodd at Dorcas a dweud,

"Felly croeso i Gastell Penrhyn, Dorcas."

"Dydw i ddim wedi dechrau ar y droed iawn efo Lady Penrhyn, naddo?"

"Pwy?"

"Y ddynes flin yna 'dan ni newydd siarad efo hi ..."

"Nid Lady Penrhyn oedd honna, siŵr. Miss Grantham ydi hi – yr howscipar!"

Teimlai Dorcas yn ffŵl. Edrychodd Cadi arni fel petai'n ei hastudio.

"Ond roedd ei stafell mor grand ... feddyliais i ..."

"Gen ti lot i'w ddysgu, does?" meddai Cadi. "A fedar Miss Grantham ddim deud 'Dorcas', felly mae hi am dy alw yn Edwards!"

Gwenodd y ddwy ar ei gilydd yn swil.

"Tyrd, dyma dy ddillad, newid yn sydyn inni gael mynd i lawr i frecwast."

Edrychodd Dorcas ar y stafell fechan, ar y ddau wely, y bwrdd rhyngddyn nhw, a'r ddwy gadair. Moel oedd yr unig air i'w disgrifio. Ar y gadair yr oedd gwisg lwyd lac, a chap calico. Gwisgodd Dorcas y wisg a theimlo'n ddieithr. Doedd dim siâp o gwbl arni, a'r defnydd i'w deimlo'n arw ar ei chroen. Gwisgodd y cap gan obeithio nad oedd yn edrych mor rhyfedd ag y teimlai.

Yn y gegin, trodd tua deg wyneb ar hugain i edrych ar 'y forwyn newydd'.

Gwelodd Dorcas ddau fwrdd hir a meinciau o'u poptu. Ar y waliau roedd paneli pren, ac roedd y drysau a'r ffenestri ar ffurf hanner cylch. Dilynodd Dorcas ei chyfnither i mofyn bowlennaid o uwd, a dangoswyd y lle ar ben pella'r fainc iddi eistedd. Ym mhen arall y bwrdd safai Miss Grantham. Gafaelodd Dorcas yn ei llwy, yn awchu am gael bwyta rhywbeth, ond rhoddodd y ferch wrth ei hochr hergwd giaidd iddi.

"Hold your horses, what's wrong with you?"

Edrychodd Miss Grantham arni efo llygaid y byddai'r diafol wedi bod yn eiddigeddus ohonynt.

"Stand, Edwards."

"Ar dy draed, Dorcas!" sibrydodd Cadi, oedd yn eistedd dros y ffordd iddi.

Gan gochi hyd at fôn ei chlustiau, safodd Dorcas, yn casáu bod yn ganolbwynt y sylw.

"Good morning. As you see, we have a new member of staff here – she's eventually arrived. She's known as Edwards, and she's one of the scullery maids. She presently speaks no English, so patience is required. You may commence eating after saying grace, 'Our Lord ...'"

Ar yr un munud yn union, cododd pawb eu llwyau a dechrau bwyta. Ni ddywedodd neb air wrth ei gilydd, a dechreuodd Dorcas amau pa fath o sefydliad yr oedd newydd ddod yn rhan ohono. Teimlai fel pysgodyn allan o ddŵr, a'r peth gwaethaf oedd mai hi oedd yn ymddangos yn od iddyn nhw. Roedd o'n union fel petai wedi cael ei lluchio i wallgofdy.

Pennod 9

Yn y bocs o stafell foel fisoedd wedyn, cofiodd Dorcas fel roedd y ddelwedd o wallgofdy wedi dod i'w meddwl y bore cyntaf hwnnw pan gafodd y brecwast yng nghegin y gweision. Gwyddai o'r foment honno nad oedd yn ffitio i'r gymdeithas estron yng Nghastell Penrhyn, waeth faint o ymdrech a wnâi. Dylai fod wedi dianc oddi yno'n syth, a'u gadael i'w potes. Treiddiodd yr adnodau a ddyfynnodd ei thad iddi i'w hisymwybod: 'Canys ym mha gyflwr bynnag y byddwyf, fod yn fodlon iddo'. Ond yn ei chalon, gwyddai fod y gyfundrefn y canfu ei hun ynddi'n un gwbl hurt. Yr hyn na wyddai oedd pa mor hurt y byddai'n datblygu.

Wedi brecwast ar y bore cyntaf hwnnw, ffurfiodd pawb yn neidr hir yn y coridor fesul dau, fel petaent ar fynd i arch Noa.

Wrth lwc, roedd Cadi wrth ei hochr.

"Be sy'n digwydd?" sibrydodd Dorcas wrthi.

"'Dan ni'n mynd i'r eglwys."

"Eglwys? Fedra i ddim mynd i eglwys. Fasa 'Nhad yn fy lladd."

"Bydd dawel."

Gwelodd wynebau'n troi tuag atynt yn ddirmygus.

Roedd yn rhaid i Dorcas gael dweud ei dweud. "Ond Methodist ydw i ..." hisiodd dan ei gwynt.

"Quiet!" meddai Miss Grantham yn llym. "Anyone caught talking will be punished."

Caeodd Cadi ei llygaid a gostwng ei phen. Roedd yn amlwg yn bryderus.

Dyfalodd Dorcas beth ddylai ei wneud. Symudodd y rhes hir yn ei blaen i fyny'r grisiau o'r gegin. A ddylai egluro i Miss Grantham nad oedd hi'n eglwyswraig? Roedd ganddi ormod o ofn. Yna, meddyliodd mor ddig fyddai ei thad o gael gwybod ei bod wedi mynychu eglwys. Ond cerddodd yn ei blaen efo'r gweddill, drwy goridorau, dan sawl bwa, i ran ysblennydd o'r castell, a thrwy ddrysau dwbl i eglwys oedd o fewn y castell. Teimlodd ei bod yn cael ei gyrru gan rym y tu allan iddi ei hun. A mwyaf sydyn, roedd yn ymwybodol o ysblander yr adeilad a'i awdurdod. Fyddai hi byth yn gallu cerdded allan. Roedd yn rhaid iddi wneud fel pawb arall. Eisteddodd y gweision a'r morynion yn eu lle, a dechreuodd y gwasanaeth.

Roedd y gwasanaeth i gyd yn Saesneg, felly ddalltodd Dorcas 'run gair. Yr unig beth a glywodd yn gyson oedd 'Our Lord', 'the Great Lord', Lord hyn a Lord arall, a'r unig Lord y gwyddai amdano oedd Lord Penrhyn. Doedden nhw ddim yn canu emynau fel y gwnaen nhw adref, dim ond siantio, ac roedd yn swnio'n ddieithr ac amhersonol i glustiau Dorcas. Canu emynau Pantycelyn oedd pleser pennaf Dorcas yn Salem, ac roedd colli hwnnw yn loes calon. Ni allai hyd yn oed adrodd Gweddi'r Arglwydd yn Saesneg, felly sibrydodd y geiriau Cymraeg wrthi ei hun. Ni phrofodd Dorcas gyn lleied o fendith mewn gwasanaeth erioed. Roedd yn ymwybodol fod un o'r gweision yn rhythu arni drwy'r oedfa, ac roedd hynny'n peri iddi deimlo'n anghyfforddus.

Doedd yr adeilad crand yn ddim byd tebyg i'r capel adref. A dweud y gwir, doedd hi erioed wedi gweld lle mor grand yn ei bywyd. Doedd o ddim mor fawr â hynny, ac roedd y to bwaog gwyn yn gwneud i Dorcas feddwl ei bod mewn cragen. Ond yr addurniadau! Sut yn y byd oedden nhw wedi cerfio'r fath bethau? Deuai'r colofnau at ei gilydd o'r nenfwd, ac roedd clwstwr o chwe cholofn ar bob ochr. Roedd pob un golofn wedi ei cherfio gyda phatrwm gwahanol. Gadawodd Dorcas i lais yr offeiriad suo fel gwenyn tra oedd hi'n edrych yn fanwl ar y bensaernïaeth. Yn y diwedd, caeodd yr offeiriad y Beibl, ymgrymodd o flaen yr allor, a daeth y gwasanaeth i ben. Rhoddodd Dorcas ochenaid o ryddhad.

Mewn distawrwydd, gorymdeithiodd pawb o'r eglwys a thrwy'r drws i adran y gweision. Gwyddai pawb arall yn union lle roedden nhw'n mynd, a dilynodd Dorcas Cadi fel ci bach.

"Roedd hynny'n erchyll," meddai Dorcas, y munud roedd y ddwy ar eu pennau eu hunain.

"Bydd rhaid i ti ddysgu cau dy geg, Dorcas – chei di ddim siarad pan wyt ti eisiau – mae'n rheol euraid."

"Ond ... roedd o'n gwbl groes i'm natur i fynd i wasanaeth eglwys!"

Wnaeth Cadi ddim hyd yn oed edrych arni.

"Dysga neud petha cwbl groes i'th natur 'ta," meddai, fel petai hynny y peth hawsaf yn y byd. Agorodd gwpwrdd ym mhen pella'r coridor a thynnu offer glanhau ohono.

"Ein tasg gynta yw llnau'r llefydd tân. Dwi wedi cychwyn ar rai'n barod cyn brecwast, ond mae ambell un dal heb ei neud. Y peth gorau yw i ti weld sut ydw i'n gneud y cynta, a chei roi cynnig dy hun ar y nesa."

"Wna i byth ffeindio fy ffordd o gwmpas y lle 'ma, mae o'n anferth."

"Mi ddoi. Mae pawb ar goll am y dyddiau cynta."

Roedd yr offer mewn bocs, a rhoddodd Cadi'r ddwy fwced i Dorcas i'w cario.

Ond roedd Dorcas yn dal i geisio dod dros drawma'r gwasanaeth.

"Profiad anghyfforddus iawn oedd bod yno."

"Mae 'na lot o betha'n anghyfforddus yma – mi ddoi i arfer."

"Ond dydw i ddim *eisiau* arfer efo nhw, Cadi!"

Beth oedd yn bod efo'r ferch, meddyliodd Dorcas. Fel llyn llefrith, a dim byd yn ei styrbio. Ochneidiodd Cadi a dal yn ei blaen i gerdded. Cymerodd anadl ddofn ac edrych yn ei blaen.

"Un peth ydi bod yn forwyn," meddai Dorcas, "ond fedran nhw ddim rheoli pob munud o'n bywydau ... Cadi, wyt ti'n gwrando?"

"Wn i ddim lle wyt ti'n cael dy syniadau ffansi. Wyt ti wedi gweini o'r blaen?"

"Naddo."

Agorodd Cadi ddrws stafell a phlygu ar ei gliniau wrth y lle tân gan ddweud wrth Dorcas am gael y bwced lwch yn barod.

"Ond dwi'n nabod rhai sy'n gweini, a rhai ohonyn nhw'n ffrindiau i mi," meddai Dorcas.

Canolbwyntiodd Cadi ar ei gwaith, gan anwybyddu ei chyfnither.

"Cadi ..."

Trodd Cadi gan edrych ar Dorcas yn flinedig.

"Jest gwranda ar rywun sy'n gwybod yn well na ti," meddai, heb fod yn annifyr. Syrffed oedd yn ei nodweddu'n fwy na dim. "Pen lawr, gwna dy waith, a chau dy geg – dyna'r unig beth sy'n rhaid i ti neud os wyt eisiau goroesi fan hyn."

Bu Dorcas yn dawel am amser maith wedi hynny. Falle nad oedd hwyliau rhy dda ar Cadi'r bore hwnnw. Falle nad oedd yn hoffi Dorcas. Falle ei bod hi, Dorcas, yn mynd ar ei nerfau. Diflas iawn oedd glanhau gratiau – mwy diflas fyth oedd gwneud hynny mewn tawelwch.

Pennod 10

Wrth lanhau'r gratiau, tynnu'r llwch mewn stafelloedd a sgubo'r llawr, ceisiodd Dorcas feddwl pa syniad oedd ganddi o waith morwyn fach. Y gwir oedd na feddyliodd fawr am y gwaith ei hun. Roedd y ffaith fod rhaid gadael cartref wedi peri'r fath ddychryn iddi fel mai hynny a lanwai ei meddwl. Roedd Leusa yn forwyn yn Nannau, ond roedd hi'n gallu goddef ei bywyd. Yn naturiol, doedd o ddim yn fêl i gyd, ddim mwy nag oedd bywyd Dorcas ei hun yn gwehyddu a helpu cadw'r tŷ. Ond wedi gorffen ei gwaith am y dydd, deuai Leusa adref a chael cwmni ei ffrindiau, a Chymry oedd y gweision a'r morynion yn Nannau. Ddaru Dorcas erioed feddwl na fyddai neb heblaw Cadi'n deall ei hiaith, ac roedd hynny, a methu mynd adref, yn peri unigrwydd dychrynllyd.

Roedd y gwaith glanhau ei hun yn syrffedus hefyd. Adref, wrth lanhau, dim ond un lle tân oedd yna, doedd fawr o stafelloedd i'w glanhau, roedd ei mam yn gwmni iddi, roedd pobi neu olchi'n digwydd 'run pryd, roedd y plant dan draed, roedd yr ieir tu allan, roedd pobl yn galw ... Ffordd o fyw oedd gwaith tŷ, rhywbeth oedd yn digwydd yn naturiol ac yn rhan o batrwm y diwrnod. Meddyliodd Dorcas am yr adegau roedd wedi cwyno am ddiflastod y nyddu a'r gwehyddu. O leiaf roedd y dasg honno'n golygu ei bod yn creu rhywbeth, hyd yn oed os mai dim ond gwlanen fras ydoedd. Roedd yn cael nyddu yng nghwmni ei theulu, roedd o'n rhywbeth cymdeithasol i'w wneud ac yn ddigon pleserus, o edrych yn ôl. Byddai hi'n rhoi unrhyw beth yn awr am gael bod yn Nhyddyn Pricia yn trin gwlân – ni fyddai byth yn cwyno eto yn ei bywyd.

Ar y diwrnod cyntaf hwnnw yn y castell y cafodd syniad pa mor anferth oedd ei charchar. Wedi glanhau'r lle tân mewn deg stafell, a'r rheini i gyd yn stafelloedd gweision, ceisiodd amgyffred maint y lle. Ni chafodd gyfle i holi nes ei bod hi a Cadi 'nôl yn eu stafell wely.

"Dyna dy ddiwrnod cynta ar ben," meddai Cadi wrth dynnu ei barclod a'i gosod ar y gadair.

"Welais i ddim diwrnod mor hir yn fy myw, ac mae 'nghefn yn fy lladd."

Gwenodd Cadi.

"Byddi'n canfod cyhyrau na wyddet oedd yn dy gorff. Ond rwyt ti'n dalach na mi, mi fydd yn llai o straen arnat. Ydi o'n debyg i be oeddet ti wedi'i ddisgwyl?"

Cyfaddefodd Dorcas nad oedd wedi meddwl llawer am y tasgau oedd o'i blaen.

Gorweddodd ar ei chefn ar y gwely, ac edrych ar y muriau.

"Cadi, faint o stafelloedd sy yn y castell?"

"Dim syniad."

Roedd Cadi'n ei byd bach ei hun, yn tacluso o'i chwmpas. Syllodd Dorcas arni.

"Ond ti sy'n eu llnau."

"Un forwyn fach ydw i ymysg llawer," meddai Cadi fel petai'n adrodd pader, "a 'mond yn adran y gweision 'dan ni ran amlaf."

"Dydw i ddim hyd yn oed wedi *gweld* Lord Penrhyn eto," meddai Dorcas.

Trodd Cadi ati efo golwg syn ar ei hwyneb.

"Dydi o ddim yma – dyna pam."

Tynnodd ei chap a dechrau brwsio ei gwallt.

"Ddim yma? Lle mae o 'ta?" gofynnodd Dorcas, yn methu deall.

"Dim ond rhyw le achlysurol ydi hwn iddyn nhw – rhyw dŷ gwyliau. Mae ganddyn nhw gartre yn Llundain ac un yn rhywle arall. Maen nhw'n mynd a dod rhwng y tai, ac yn dod â staff ychwanegol efo nhw."

Prin y gallai Dorcas ei chredu. Felly roedden nhw'n gwneud yr holl waith i rywun oedd yn absennol!

"A hyd yn oed pan maen nhw yma, dydyn ni ddim yn eu gweld," aeth Cadi yn ei blaen. "Dydyn nhw ddim eisiau dod i gysylltiad â ni. 'Mond eisiau i ni baratoi ei bwyd, golchi eu dillad a llnau ar eu holau maen nhw. I bob pwrpas, 'dan ni'n anweledig. Ond maen nhw'n dod mewn rhyw fis ... Duw a'n helpo wedyn."

"Pam?"

"Derbyn mai hwn yw'r cyfnod tawel. Neu mae'r prysurdeb ar fin dechrau ... rown ni o fel 'na."

Eisteddodd Dorcas, a'i chefn ar y wal.

"Pa mor gyfoethog ydi Lord Penrhyn?"

Rhoddodd Cadi ei brwsh gwallt i lawr.

"Meddylia am y cyfoeth mwyaf y gelli ei ddychmygu ..."

'Aur Periw a pherlau'r India bell' oedd y llinell o emyn ddaeth i feddwl Dorcas.

"Dybla fo, trebla fo, ac mae gen ti syniad o'u cyfoeth. Mae ganddynt arian na allai rhywun fel ti a mi ei ddychmygu ..."

Cododd Dorcas oddi ar y gwely a cherdded at y ffenest.

Roedd eu stafell nhw ar y llawr uchaf yn edrych i lawr ar gefn y castell. Ceisiodd ddod i delerau â'r hyn roedd Cadi newydd ei ddweud.

"Ond sut maen nhw wedi cael y fath bres?"

"Pwy ŵyr? 'I'r pant y rhed y dŵr' fydd Mam yn ei ddeud. Fo pia hanner Bethesda. Fo pia'r chwarel, fo pia'r tafarnau, fo sy wedi codi rhan fwyaf o'r tai. Fo pia Llandygái, fo, neu ei dad, gododd Port Penrhyn, fo pia'r ffordd haearn, fo pia hanner Jamaica ... jest peiriant creu pres ydi o. Mae bob dim mae o'n edrych arno'n troi'n aur."

Meddyliodd Dorcas yn sydyn cymaint fyddai Mabli a Lewis yn lecio stori o'r fath, ond cofiodd na allai ddweud wrthynt, a theimlodd yn ddigalon. A beth bynnag, onid oedd yna chwedl arall am rywun yn troi popeth yn aur?

"Edrych drwy'r ffenest, Dorcas – mor bell â'r gorwel. Lord Penrhyn pia'r tir yna i gyd."

Dim ond mewn straeon roedd Dorcas wedi clywed am bobl o'r fath. Roedd clywed am rywun go iawn efo'r fath gyfoeth yn codi peth dychryn arni, a'r syniad mai hwnnw oedd ei chyflogwr.

"Dwi'm yn siŵr os ydi'r fath gyfoeth yn iawn."

"Pam ddim? Ei lwc o ydi o 'te? Ac efo'r cyfoeth, mae pobl fan hyn yn cael gwaith, gan gynnwys chdi a fi."

Daliodd Dorcas i edrych drwy'r ffenest.

"Ond pan ti'n meddwl am be mae'n ddeud yn y Beibl – am y gŵr goludog ..."

"Be ydi 'goludog'?"

"Rhywun efo lot o bres."

"Be mae'r Beibl yn ei ddeud amdano?"

"Mai haws fyddai i gamel fynd drwy lygad nodwydd nag i ŵr cyfoethog fynd i Deyrnas Dduw."

Chwarddodd Cadi. "Dwi'm wedi clywed yr adnod yna, ond mae'n syniad doniol."

Wyddai Dorcas ddim beth oedd mor ddoniol amdano. Doedd y syniad erioed wedi ei phoeni rhyw lawer gan nad oedd yn nabod neb cyfoethog – tan hynny. Ond petai hi yn sgidiau Lord Penrhyn, byddai'r adnod yn gyrru ias i lawr ei hasgwrn cefn.

"Ac mae Iesu Grist yn deud wrth y dyn cyfoethog – gwertha'r hyn oll sydd gennyt, dyro i'r tlodion a chanlyn fi."

"Yn lle ti wedi dysgu hyn i gyd?" holodd Cadi.

"Yn 'rysgol Sul. Be ti'n ei ddysgu yno?"

"Does 'na'm ysgol Sul yn 'reglwys."

Edrychodd Dorcas ar ei chyfnither a'i llygaid fel soseri.

"Eglwyswr wyt ti?"

"Ia. Dyna pam doeddwn i ddim yn gneud ffys wrth fynd i'r gwasanaeth bore 'ma. Dyna dwi wedi arfer ag o."

Roedd hyn yn rhoi Cadi mewn golau gwahanol iawn, ym marn Dorcas. Doedd hi ddim yn nabod eglwyswr arall, ac yn sicr doedd hi erioed wedi siarad efo un.

"Ond wyddet ti mai Methodist oeddwn i?"

"Gwyddwn. Ddeudodd Mam. Dwi'n meddwl mai dyna pam dydi'n teuluoedd ni'n gneud fawr efo'i gilydd. Dydi'n tadau ni ddim yn cytuno. Ond mae dy fam di a fy mam i'n dal yn ffrindiau, ac yn chwiorydd ... Ond ddeudodd Mam wrtha i am beidio mwydro dy ben di efo'r peth."

Cymerodd Dorcas amser i feddwl am hyn i gyd, a daeth yn ôl i eistedd ar ei gwely gyferbyn â'i chyfnither.

“Ydi ots gen ti ’mod i’n Fethodist?”

Ysgydwodd Cadi ei phen.

“Wn i ddim be ydi Methodist ... ’mond eu bod nhw’n bengaled. Dyna mae Dad yn ei ddeud.”

“A ti ddim yn colli mynd i’r ysgol Sul?”

“Wn i ddim be ydych chi’n ei neud yn yr ysgol Sul ...” Pletiodd ei ffrog yn fyfyrgar.

“Wel, fan’no ddysgais i ddarllen a sgwennu, yn un peth.”

“’Chydig iawn fedra i ei ddarllen, ond fedra i sgwennu fy enw.”

“Ac yn ’rysgol Sul ’dan ni’n trafod y bregeth a beth sy yn y Beibl.”

Edrychodd Cadi ar Dorcas a nodio, fel petai’n dechrau deall.

“Falle mai dyna ydi’r peth drwg dach chi’n ei neud.”

“Pam?”

“Dydi eglwyswyr ddim yn trafod. ’Dan ni’n derbyn gair Duw, a ddim yn ei gwestiynu.”

Edrychodd Dorcas arni mewn penbleth, ac aeth Cadi yn ei blaen.

“Achos, unwaith ti’n ei gwestiynu, mae pobl yn mynd i ddechrau dadlau yn ei gylch, a ddaw dim da o hynny. Mae rhaid i ti gael rhywun yn fos i ddeud wrth bobl eraill be i’w neud neu mae petha’n mynd yn ffradach.”

Dechreuodd pethau wawrio ar Dorcas.

“Felly dydi o ddim yn dy boeni fod Lord Penrhyn yn fos ar bawb ...”

“Pam dylia fo? Trefn felly ydi hi, a mae i bawb eu lle ynddi.”

“Ond ti’n dal i weld llnau’n ddiflas ...?”

Roedd Dorcas yn ceisio ei gorau bellach i ganfod rhywbeth y gallent gytuno arno, ond cael ei siomi a wnaeth.

“Wyddost ti beth, Dorcas? Dwi’m yn meddwl ’mod i. Dwi’n codi bob bore yn gwybod bod gen i dasgau i’w gneud, a dwi’n falch o neud fy nyletswydd, hyd yn oed os ydi o’n waith blinedig. Pan fyddai’n mynd i’r gwely gyda’r nos, os dwi wedi gneud popeth hyd eitha fy ngallu, mae hynny’n rhoi pleser i mi a dwi’n teimlo’n hogan dda ... a dwi’n cofio deud fy mhader. Ei di ddim yn bell o dy le os gwnei di hynna.”

Edrychodd Dorcas arni fel petai’n ei gweld o’r newydd.

Cododd Cadi a dechrau paratoi i fynd i’w gwely.

“A dwi’n falch ’mod i’n rhannu stafell efo ti, Dorcas ... mae’n andros o braf gallu siarad Cymraeg efo rhywun.”

Cytunodd Dorcas, ond dechreuodd feddwl mai’r iaith oedd yr unig beth cyffredin rhwng y ddwy ohonynt.

Pennod 11

Berw a dryswch dod i nabod wynebau oedd yr wythnosau cynnar hynny, meddyliodd Dorcas wrth edrych ar wal foel y stafell fach, gan hel atgofion. Doedd ryfedd fod y prydau bwyd cyntaf yn y gegin mor atgas – yr wynebau i gyd yn syllu arni, a hithau heb syniad o'r drefn. Yn raddol, daeth i allu gwahaniaethu rhyngddyn nhw – pwy oedden nhw, o ble roedden nhw'n dod, eu henwau a'u swyddogaeth yn y castell. Miss Grantham oedd yn ben, yna roedd yna stiward, bwtler, ambell *lady's maid*, morynion y gegin, y morynion glanhau fel hithau, *valet*, is-fwtler, *footman*, hogyn negeseuon, staff y *laundry*, hogia'r ceffylau ... roedd y rhestr yn ddiddiwedd. Roedd yna drefn i'r dydd hefyd, a phawb fel pe gwyddent lle roedden nhw i fod ar ba bryd. Byddai Dorcas yn meddwl amdanyn nhw ar y dechrau fel haid o wenyn, efo Miss Grantham yn frenhines arnynt, ac yn cadw llygad barcud ar ei staff.

Ychydig iawn oedd â'u cartrefi eu hunain. Roedd y rhan fwyaf yn byw ar dir y Penrhyn, ac yn byw er mwyn y stad. Doedd neb yn meddwl ei bod yn drefn od. Roedd y Penrhyn yn bod er mwyn y Penrhyn, a gwasanaethu'r Penrhyn oedd diben bywyd. Saeson oedd y mwyafrif o'r staff. Gallai Dorcas gyfrif ar un llaw pwy oedd y Cymry, ond roedd wedi gwneud ffrindiau efo un ohonynt, sef Hanna.

Un pnawn, anfonwyd Dorcas i olchi llestri'r gegin pan oedd un o'r staff yno'n sâl, a dyna lle daeth ar draws Hanna.

Welodd Dorcas erioed gegin mor fawr. Y lle tân anferth oedd yn tynnu'r sylw mwyaf, a sawl tecell arno'n berwi dŵr. Wrth y sinc roedd mynydd o lestri budron yn aros i gael eu golchi.

"Wyt ti wedi cael dy draed 'danat bellach?" gofynnodd Hanna, wrth olchi'r platiau cinio a Dorcas yn eu sychu.

"Dydw i ddim wedi setlo, os mai dyna wyt ti'n ei feddwl."

"Dysgu byw efo'r lle wyt ti, debyg. Mae'n anodd teimlo'n gartrefol yma."

"Pam mae ganddyn nhw ddwy gegin?" holodd Dorcas, yn sbecian i'r stafell gyfagos.

"Nid cegin ydi hi, ond *pastry room* – i neud pestri."

"Stafell arbennig 'mond i neud pestri?"

"Ia," meddai Hanna gan rowlio ei llygaid, "a mae yna *china room* i gadw llestri, a *lamp room* i gadw lampau ... mae 'na stafell i bob dim dan haul, yn cynnwys *brushing room* – i gadw brwshys."

Sylweddolodd Dorcas mai yn y stafell honno y treuliodd ei noson gyntaf yn y castell.

Rhoddodd Hanna'r ddysgl lysiau'n ofalus ar y bwrdd sychu. "Gwylia hon, mae'n drom."

Eglurodd mai un o Lannefydd ger Dinbych oedd hi. Arferai weithio i dŷ bonedd yno, a phan symudodd un o'r morynion oddi yno, cafodd gynnig i fynd efo hi.

"Ro'n i'n meddwl y byddwn yn codi dipyn yn y byd wrth ddod i fan hyn, ond fel arall digwyddodd hi. Roedd yna gymaint o staff yn y Penrhyn fel ro'n i'n ôl yn y gwaelod ... Be wyt ti'n ei 'studio?"

Roedd Dorcas wedi sylwi ar y llun oedd wedi ei beintio ar y ddysgl.

"Dwi wedi gweld y ddraig 'ma ar du blaen y castell, ac mewn sawl lle arall – hwn yw arwyddlun y teulu, ia?"

"Nid draig ydi, ond antelop."

Edrychodd Dorcas arni'n syn.

"Be ydi peth felly?"

"Rywbeth efo dau gorn. Dwi'm yn meddwl bod nhw'n anifeiliaid go iawn ..."

"Hanna," gofynnodd Dorcas, "pam mae bob dim yn rhyfedd yma?"

"Byddigions ydyn nhw 'te? Be wnei di efo nhw?" atebodd honno'n ddiamynedd.

Trodd at y stof. "Wyt ti'n llwglyd?"

Bu Dorcas yn llwglyd ers cyrraedd y castell, a chynigiodd Hanna iddi orffen gweddillion yr hyn oedd yn y sosban.

"Gadwith hwn ti'n mynd am dipyn," meddai efo gwên. "Dydan ni ddim i fod i neud hyn, ond fydd neb ddim callach," a llyfodd Dorcas y llwy efo boddhad. "Dydan ni ddim i fod i ddefnyddio'r llestri crand chwaith, ond fydda i'n gneud weithiau – 'mond o ran diawledigrwydd ... Edrych, mae dipyn o fwyd dros ben yn fan hyn hefyd ..."

"Does gen ti ddim ofn colli dy waith?"

"Twt, Dorcas, llond llygad neidr ydi o!"

"Dwi wedi mynd i ofni 'nghysgod ers dod yma. Mae Cadi'n deud 'mod i'n llawer rhy hy."

"Rhyngot ti a fi," sibrydodd Hanna, "mae Cadi dipyn bach yn ddiniwed. Morynion ydan ni, ond does dim angen mynd dan y fawd gymaint â hynny. Oeddet ti'n ei nabod hi cyn dod yma?"

"Mae'n gyfnither gyfan i mi."

Cochodd Hanna.

"Mae'n ddrwg gen i, wyddwn i ddim ..."

"Dydi'm ots o gwbl, prin 'dan ni'n nabod ein gilydd. Wel, wrthi'n dod i nabod ein gilydd ydan ni. Lle wyt ti'n cysgu?"

"Mae tair ohonon ni ym mhen draw'r coridor – fi, Harriet ac Ada – wyt ti'n eu nabod nhw? Saeson ydyn nhw. Mae Harriet yn iawn, ond mae Ada fel rhech. Ond mae'n rhaid inni gyd gyd-fyw rywsut, toes? Glywaist ti'r newydd mawr?"

"Naddo ... Wel, falle eu bod nhw wedi deud, a finna heb ddallt."

"Ti'n cael trafferth efo Saesneg, dwyt?"

"'Rioed wedi arfer ei siarad. Dwi wedi dysgu 'you lazy Welsh good for nothing' yn reit sydyn – wedi'i glywed yn ddigon aml!"

Gwenodd Hanna. Roedd ganddi wên hyfryd, a brychni haul dros ei hwyneb a mop o wallt coch, hardd.

"Ond be ydi'r Newyddion Mawr?"

"Mae'r Lord ar ei ffordd ..."

"Yma?"

"Wel ia, siŵr! Lle arall? Mi fydd tempo'r lle yn newid rŵan, gei di weld. Mae holl natur y lle'n newid unwaith mae Lord Penrhyn yn ei gastell."

"Welan ni o?"

"Go brin. Ond mae lot mwy o waith pan maen nhw *in residence*. Fydd dim byd ti wedi'i weld hyd yma i'w gymharu ag o. Welwn ni mo'n gwlâu tan hanner nos."

Wrth eistedd yn y stafell fach ar ei phen ei hun, cofiodd Dorcas sut y teimlai o glywed hyn – roedd o'n gymysgedd o edrych ymlaen at y cynnwrf, ac ofn y byddai mor flinedig fel na fyddai'n gallu gwneud y gwaith.

"Ond o leia byddwn ni'n teimlo fod yna bwrpas i be 'dan ni'n ei neud. Mae cynnal castell gwag i rywun sy ddim yn byw yma'n wastraff amser llwyr."

"Cwbl fydd o'n ei olygu inni ydi mwy o waith ... lot mwy o waith, a bydd Miss Grantham yn mynd yn fwy gwallgo fyth."

Dechreuodd Hanna wagio'r dŵr yn y sinc, ac edrych ar ei dwylo.

"Edrych ar fy nwylo bach i, mor binc â chimwch ... maen nhw fel dwylo hen wreigen. Diar mi," ac i ffwrdd â hi efo'r bwced. Edrychodd Dorcas arni'n mynd, yn camu dan straen y pwysau. Rhoddodd Hanna'r bwced i lawr am dipyn a throi ati.

"Dorcas ..."

"Ia?"

"Wnest ti feddwl ers stalwm y byddai bywyd yn wahanol i hyn?"

Edrychodd Dorcas ar ei gwisg, a'r lliain sychu llestri yn ei llaw. Ni wyddai'n iawn sut i ateb.

"Wel ... doeddwn i ddim wedi disgwyl bod yn forwyn fach mewn castell, os mai dyna oedd gen ti. Ond dros dro fydd hyn ... ddim am byth."

Gwelodd Hanna'n edrych arni. Oedd tosturi yn ei llygaid?

"Dwi'n cofio teimlo 'run fath â ti ar ôl cyrraedd yma," meddai, cyn plygu i godi'r bwced a chychwyn allan eto.

Gwaeddodd Dorcas ar ei hôl.

"A phryd oedd hynny?"

"Pum mlynedd, 'ta ydi'n chwech erbyn hyn?"

Y ffaith nad oedd yn cofio barodd i Dorcas ddigalonni.

* * *

Gyda'r nos y noson honno, cafodd gyfle i anfon gair at Mabli, fel yr oedd wedi addo. Ni soniodd am ddiflastod y glanhau ac mor ddieithr y teimlai. Dihangodd i fyd ffantasi, gan ddweud fod Castell Penrhyn yn ofnadwy o grand, a bod y giatiau fel pyrth y Nefoedd. Oedd, roedd peth gwaith undonog, ond yn y prynhawn byddai'n gwisgo ffedog lês ac yn gweini te a chacen i Lord a Ledi Penrhyn. Aeth i drafferth i egluro manylion ffrog Ledi Penrhyn, a pha mor dlws ydoedd. Roedd ganddi dri o blant bach digon o ryfeddod, a chi anwes o'r enw Tomi. Weithiau, byddai Ledi Penrhyn yn gadael i Dorcas eistedd ar stôl ac yn rhannu darn o gacen efo hi. Oedd, roedd bywyd yn y castell yn dipyn gwell na'r hyn a ofnai. A'r peth difyrraf oedd parot gwyrdd a melyn a drigai mewn cawell yng nghornel y parlwr.

Synnai mor rhwydd y deuai'r cyfan iddi a chymaint y mwynhaodd ysgrifennu'r llythyr, er bod pob gair yn gelwydd pur.

Pennod 12

Roedd yr hyn glywodd Hanna'n wir. Ymhen tair wythnos, yr oedd Lord Penrhyn a'i deulu am gyrraedd, ac roedd hyn yn golygu paratoi – roedd angen glanhau'r castell o'i dop i'w waelod, cyfnasau glân ym mhob stafell wely, cael y stoc yn barod, a pharatoi'r fwydlen. Wedi'r cyhoeddiad, nid oedd unrhyw amser rhydd am gael ei ganiatáu, ac roedd disgwyl i bawb weithio â'u deg egni.

Roedd Cadi a Dorcas yn dal i gychwyn bob bore efo'i gilydd, a Cadi'n dirprwyo gwaith i Dorcas. Yn raddol, roedd hyder Dorcas yn cynyddu, ac roedd yn dod i ddeall mwy o Saesneg. Doedd hi ddim digon hyderus i'w siarad, ond deallai'n well beth oedd eraill yn ei ddweud, er ei bod yn cael trafferth i ddilyn sgwrs.

Cyrhaeddodd y ddwy ben y grisiau – y grisiau roedd yn rhaid eu dringo bob bore, a dyfodiad y Lord oedd y sgwrs ar dafod pawb. Eu tasg gyntaf oedd glanhau'r coridor, ac roedd gan y ddwy eu brwsh.

"Dywedodd Hanna na fydden i'n cael gweld y Lord a'i deulu," meddai Dorcas.

"Pam fyddet ti? Morwyn fach wyt ti. Dim ond y morynion uwch sy'n gweini ar y Lord, ac mae ganddo fo a'i deulu eu staff eu hunain."

"Eu staff eu hunain? Pam?"

"Pobl maen nhw'n ymddiried ynddyn nhw, pobl maen nhw'n gyfarwydd â nhw ..."

Stopiodd Dorcas y gwaith brwsio ac edrych ar ei chyfnither. “Ond beth yw’r pwynt ein cael ni, felly?”

“Baw isa’r domen ydan ni, Dorcas. Dwi wedi deud hynny wrthot ti. Mae eisiau rhywun i weini ar eu morynion nhw.”

Bu’r ddwy’n dawel am dipyn, a Dorcas yn ceisio dyfalu sut beth ydoedd i weini ar forynion pobl eraill. Wedi gorffen y sgubo, aethant ymlaen at y landing.

“Methu deall ydw i, Cadi ...”

“Dydan ni ddim i fod i siarad wrth weithio, mi wyddost ti hynny.”

“’Mond wedi bod yn meddwl ydw i – fan hyn fydd y staff newydd yn aros hefyd – oes lle iddyn nhw?”

“Does dim prinder lle, ond mae’n golygu dwbl y gwaith llnau i ni ...” Aeth i nôl y mopiau a’r bwcedi o’r cwpwrdd a throi at Dorcas.

“Wnei di neud y stafelloedd arferol? Mi af i i’r pen draw i roi *spring clean* iawn i’r stafelloedd newydd.” Ac i ffwrdd â hi.

“Cadi?”

“Ia, Dorcas? Tyrd ’laen ...”

“Be ydi *scullery maid*? Be ydi *scullery*? Dwi ’rioed wedi gofyn ...”

“Cegin gefn. *Scullery maid* yw’r isaf o’r holl forynion, nesa at gaethwas,” ac ymaith â hi.

Doedd Dorcas ddim yn teimlo fel *scullery maid*. Roedd hi, Dorcas Edwards o Ddolgellau, yn ferch ifanc efo crefft. Gwehydd oedd hi, wedi dysgu’r grefft o nyddu gwlân a gwneud gwlanen. Roedd wedi ei hanfon i weini i dŷ bonedd, neu gastell, am gyfnod tra oedd ei theulu’n wynebu amser caled. Ond yn y man, deuai dydd ei rhyddid, ac ni fyddai’n *scullery maid* i neb byth eto. Roedd gormod yn ei phen, roedd yn ferch beniog.

Wrth glirio'r grât yn y drydedd stafell, roedd y bore yn ymddangos yn faith, a dechreuodd Dorcas ganu iddi ei hun:

"Yn y môr y byddo'r mynydd
Sydd yn cuddio bro Merionnydd;
Na chawn unwaith olwg arni
Cyn i'm calon dirion dorri ..."

Sgubodd y llwch a'i roi yn y bocs a gosod y tân.

"That's a pretty voice you have," meddai llais dyn.

Bu bron i Dorcas neidio o'i chroen, a gwelodd was ifanc yn dod i mewn yn cario pwcedaid o lo.

"Here's the coal. Sorry I'm late ... I'm Frank ... you're the new one, aren't you?"

Doedd gan Dorcas ddim syniad beth oedd yn ei ddweud.

"Good day," meddai, yn cymryd mai dyna oedd y cyfieithiad o 'Bore da'.

"All right, I'll be going, don't worry. I was just trying to be friendly," meddai'r gwas yn siomedig, gan ei heglu drwy'r drws a gadael Dorcas i ddyfalu beth wnaeth hi o'i le. Fentrodd hi ddim canu am weddill y bore.

Doedd gweddill y staff ddim wedi dangos fawr o gydymdeimlad efo'i diffyg Saesneg.

Un dydd, ar awr rydd, pan oedd yn darllen yn y gegin efo Cadi, daeth un o staff y gegin, Harriet, atynt.

"Good Lord, I've seen it all now," meddai wrth Dorcas. "How come you can read?"

Syllodd Dorcas arni, a throdd Harriet at Cadi.

"What's wrong with her? Is she a mute or what?"

Gallai Dorcas ateb drosti ei hun. "No much English," meddai.

Ond dal i edrych ar Cadi wnaeth Harriet. "What is she saying?"

Camodd Cadi i'r adwy. "Her English is a bit rusty, that's all. She's all there."

"She's very smart if she can read. Can you write as well?"

"Yes, swell," atebodd Dorcas.

"Can't make head or tail of what she's saying, poor lass! Anyway, hope you're settling in, girl."

Gwenodd Dorcas arni wrth iddi fynd, ond teimlai Cadi'n chwithig.

"Mae hyn yn embaras, Dorcas. Mi fydd yn rhaid i ti ddysgu mwy o Saesneg. Dydyn nhw ddim yn meddwl dy fod yn llawn llathen."

Doedd y gwasanaeth eglwys dyddiol fawr o help i ddealltwriaeth Dorcas. Roedd llais yr offeiriad yn undonog fel suo gwenyn, a châi Dorcas drafferth i gadw'n effro ambell waith. Yr unig beth braf am yr adeilad oedd ei fod yn gyfle prin i orffwys a gwneud dim. Defnyddiai'r amser i gofio am ei theulu, a gobeithio eu bod i gyd yn iawn. Syllai ar y babanod gydag adenydd wedi eu paentio ar y waliau a dyfalu beth oedden nhw. Doedd hi ddim wedi gweld babi angel o'r blaen. Roedd yn ei hatgoffa o Deio.

Wedi iddyn nhw ddychwelyd o'r eglwys, dywedodd Cadi eu bod wedi cael gorchymyn i gychwyn glanhau'r stafelloedd byw yn rhan y Lord o'r castell. A'i breichiau'n llawn o offer glanhau, dilynodd Dorcas ei chyfnither, gan deimlo'n gynhyrfus. Ar wahân i fynd i'r eglwys, doedd hi ddim wedi gweld yr hanner hwn o'r castell. Maint y stafelloedd a'i synnodd fwyaf ... nes iddyn nhw gyrraedd y neuadd.

Safodd Dorcas fel rhywun wedi ei tharo â hudlath.

"Wyt ti'n iawn, Dorcas?"

Roedd Dorcas newydd gamu i mewn i fyd hudol. Roedd yr olygfa wedi cipio ei hanadl. Welodd hi ddim byd tebyg yn ei bywyd. Bron nad oedd allan yn yr awyr iach gan mor fawr oedd y stafell. Ond nid stafell mohoni, ond calon y castell, yn llifo i bob math o gyfeiriadau eraill. Roedd y to'n ymestyn i'r entrychion. Nid muriau mohonyn nhw chwaith, ond pileri cerfiedig yn tyfu o flaen ei llygaid. Rhwng y pileri roedd pob math o lwybrau cuddiedig. Roedd y ffenestri oedd yn eu hwynebu deirgwaith, bedair gwaith yn fwy na drws cyffredin, ac uwch eu pennau roedd rhes arall o ffenestri, a rheini mewn gwydr lliw. Ddychmygodd hi erioed y fath harddwch a chrandrwydd, hyd yn oed yn ei breuddwydion mwyaf gwallgof. Beth yn y byd fyddai Mabli'n ei ddweud? Uwchben, roedd galeri'n dangos ail lawr yr un mor ysblennydd.

Gadawodd i'w llygaid ddilyn y pileri i fyny fry, gan geisio dal pob manylyn. Roedd fel petai rhywun wedi cerfio menyn, gan mor gywrain oedd y gwaith. Ond sut oedd modd cerfio'r fath gerfluniau o garreg? Pa mor hir y bu'r seiri maen wrthi? Rhaid mai tylwyth teg wnaeth y gwaith ...

"Dorcas?"

Roedd yn un syndod ar ôl y llall, ac roedd ei phen yn troi. Ar y top, roedd rhes o wynebau ar ben y pileri – pen llew hudol, pen diafol, pen corrach, a phob un yn syllu arni ac yn crechwenu'n slei. Pa gyfrinach a wyddai'r rhain?

A'r nenfwd! Roedd yn glaerwyn efo ffenest gron yn y canol, a golau'r nef yn gwawrio'n annaearol drwyddo. Roedd y nenfwd ei hun wedi cael ei orchuddio â cherfiadau, yn batrymau ar ben patrymau, a'r cyfan mor gywrain â lês. Roedd yn gwbl, gwbl anghredadwy.

"Dorcas?"

"Welais i nunlle tebyg yn fy mywyd ..."

Gwenodd Cadi wrth edrych arni.

"Mae dy geg di fel un pysgodyn. Feddyliais i am funud rŵan dy fod wedi cael strôc ... Tyrd."

"Beth ydi'r stafell hon?"

"Y Neuadd Fawr mae'n cael ei galw. Rhyw fath o gyntedd sy'n arwain i'r stafelloedd eraill. Dorcas – tyrd! Yn y *drawing room* 'dan ni i fod i ddechrau, ond rhaid i ti ddod atat dy hun gynta ... Dwi wedi hen arfer ag o, ond mae'n siŵr i minnau gael sioc y tro cynta welais i'r lle."

Agorodd Cadi'r drws i'r stafell, ond roedd honno'n enfawr, a phopeth wedi ei orchuddio â chyfnasau llwch.

"Y peth cynta sy'n rhaid inni ei neud yw tynnu'r gorchuddion llwch – maen nhw'n drwm, dwi'n dy rybuddio di rŵan ..." Ochneidiodd. "Mae yna gymaint o waith i'w neud. Ein tasg ni yw tynnu cymaint o lwch a fedrwn ni, wedyn bydd y morynion eraill yn gneud gweddill y gwaith. Dorcas, wyt ti'n gwrando?"

"Mae'n olygfa ddoniol, tydi? Fel bod rhyw angenfilod neu grwbanod anferth yn hepian dan y cyfnasau hyn ..."

Edrychodd Cadi arni.

"Ew mae gen ti feddwl gwahanol. Dydi'r syniad hwnnw 'rioed wedi croesi mhen i. Rŵan gafael yn y gornel yna ..."

Dyna fu'r ddwy'n ei wneud drwy'r prynhawn – tynnu'r gorchuddion llwch a mynd â nhw allan i'w hysgwyd. Anadlodd Dorcas yr awyr iach, gan ei mwynhau.

"Ew, mae'n dda bod allan, Cadi. Dwi'n siŵr nad ydw i wedi bod allan ers tua tair wythnos, ar wahân i groesi'r clos. Gartre, ro'n i allan bob dydd, yn y caeau neu yn mynd i lawr i'r dre. Dwi'n colli'r rhyddid hwnnw ..."

"Ac i lle fyddet ti'n mynd o fan hyn taet ti'n cael y cyfle? 'Mond rhyw naw o dai ydi Llandygái, ac mae Bangor tua dwy filltir i ffwrdd. Mae fan hyn yn ganol nunlle."

"Dim ots gen i, 'mond 'mod i ddim dan glo yn y castell 'ma."

"Ond roeddet yn gwirioni arno rai munudau yn ôl," meddai Cadi, yn methu deall.

"Mae o'n lle gwych, ond dwi'n teimlo'n garcharor yma," eglurodd Dorcas.

"Dwi'n meddwl dy fod yn ffansïo dy hun fel dipyn o ledi," meddai Cadi, heb ddigon o hiwmor i beri i Dorcas feddwl ei bod yn tynnu coes. "Leciet ti fod yn cael paned yn y *drawing room* a chael reid mewn cab i lawr at y parc ..."

"Faswn i wrth fy modd yn gneud hynny," atebodd Dorcas, ac eisteddodd yn un o'r cadeiriau moethus. Roedd llygaid Cadi fel soseri, a dychrynodd.

"Paid, Dorcas! Coda'r funud yma! Dwyt ti ddim i fod i gyffwrdd y dodrefn!"

Cododd Dorcas fel petai'r sedd ar dân.

"O'r gorau, dim ond eistedd ynddi wnes i ..."

"Paid â gneud hynny eto," meddai Cadi, wedi colli ei gwynt. "Tase Miss Grantham yn dy weld, byddai'n ddigon amdanat."

"'You lazy Welsh good for nothing' – ia, ia, dwi'n gwybod." Cofiodd Dorcas beth ddywedodd Hanna am Cadi, a sut roedd hi ofn ei chysgod, bron iawn.

Gyda phob cyfnas, datgelwyd un rhyfeddod ar ôl y llall. Yn fwrdd o bren collen Ffrengig, yn silff ben tân gerfedig, yn ganhwyllbren osgeiddig, yn ddrych 'run maint â'r wal. Gyda dyster plu, cafodd y ddwy wared o'r we pry cop waethaf, ond roedd eu cefnau'n brifo erbyn amser te.

"Tybed ydi'r pryfed cop yn gwybod eu bod mewn lle crand?" holodd Dorcas.

"Beth?"

"Mae pob dim arall yn well yma," meddai Dorcas. "Sgwn i os yw'r pryfed cop hyd yn oed yn rhai uchel-ael. Ydyn nhw'n meddwl eu bod yn well na phryfed cop eraill am eu bod yn cael byw yn un o stafelloedd crandia'r wlad?"

"Dydw i 'rioed wedi meddwl hynny," meddai Cadi. Pry cop oedd pry cop yn ei golwg hi, ac roedd angen cael gwared o bob un wan jac ohonynt.

Pennod 13

O'r holl amser y bu yn y castell, falle mai'r tair wythnos o baratoi ar gyfer dyfodiad y Lord a roddodd y mwynhad mwyaf i Dorcas. Er bod glanhau'r stafelloedd yn waith blinedig ddychrynllyd, roedd canfod y fath drysorau bob dydd yn rhoi gwefr iddi. Yr unig beth diflas oedd y modd yr oedd Cadi'n cadw llygad yn barhaus arni.

"Mi fedra i ddystio heb i ti fod yn edrych arna i," meddai Dorcas yn bigog un bore pan oedden nhw yn y *drawing room*.

Ochneidiodd Cadi.

"Welais i neb mwy cyndyn i ddysgu. Dwi'n gneud y gwaith ers blynyddoedd – siawns fod gen i dipyn mwy o brofiad ..."

"A dwi innau wedi deud fod gen i hen ddigon o brofiad o drin brwsh a mop."

Byddai'r modd araf y byddai Dorcas yn mynd o'i chwmpas i gyflawni'r tasgau'n mynd dan groen Cadi, doedd dim dwywaith am hynny, a gallai Dorcas fod mor groendenau.

"Ofn i ti dorri rhywbeth ydw i – mae ambell beth mor frau yma, ac mor werthfawr." Roedd yn amlwg fod Cadi'n wirioneddol bryderus.

Stopiodd Dorcas ddystio a throi ati.

"Dwi'n addo bod yn ofalus, Cadi. A rhaid i tithau dderbyn mai damwain ydi damwain – tase un yn digwydd. Rhaid i ti beidio bod mor bryderus, bendith Tad. Tase rhywbeth yn malu, mi allen nhw fforddio un arall – dydyn nhw ddim yn deulu sy'n byw ar fin y gyllell, nad ydyn?"

Er nad oedd yn ei fwriadu'n gas, ffrwydrodd Cadi.

"Dyna'n union beth sy'n fy ngwneud yn nerfus!" meddai, a'i llygaid oedd mor aml yn gwbl ddi-fflach yn sgleinio. "Wyddost ti mo'u gwerth! 'Prynu un arall' wir. Mae'r dodrefn yma'n werth cannoedd ar gannoedd. Un crafiad bach, ac mae'n gostwng eu gwerth. Wn i ddim be i'w neud, wir." Roedd hi bron yn ei dagrau.

Ar yr union adeg, clywsant sŵn sodlau'n nesáu at y stafell, a gwelsant wyneb Miss Grantham yn y drws.

"Quiet, girls! You shouldn't be talking at all, let alone raising your voices."

Edrychodd ar Cadi. "Whatever's the matter? Is this one giving you trouble?"

"No, Miss Grantham, it's my toothache that's causing me distress."

Trodd wedyn at Dorcas. "Why are you staring at me like a goldfish?"

"Good day, Miss Grantham," meddai Dorcas.

"Oh, Edwards, haven't you gone beyond 'Good Day' yet? I thought you were supposed to be teaching her, Kadi?"

"Yes, miss."

"Proper mountain goat, this one. I hope her cleaning skills are better."

"Sorry, Miss Grantham," meddai Dorcas.

"Just make sure she's careful, Kadi, that's all I'm telling you. You're both in a position of trust – and you need to step up – we're falling behind schedule."

Ac i ffwrdd â hi fel llong yn ei hwyliau.

Edrychodd y ddwy forwyn ar ei gilydd.

"Mae'n ddrwg gen i, Cadi. Mi geisia i fod yn fwy gofalus ..."

Gwyddai Dorcas fod ffraeo efo Cadi'n beth ffôl iawn i'w wneud. Petai Cadi'n digio efo hi, byddai ar ei phen ei hun yn llwyr.

"Gobeithio dy fod yn deall pam dwi mor bryderus rŵan."

"Ydw. Sori. Beth ydi *toothache* a *distress*?

"Ddannodd."

"Oes gen ti ddannodd?"

"Nagoes, ond roedd rhaid i mi feddwl am ryw esgus, toedd?"

"Diolch i ti, Cadi."

A rhyw berthynas felly oedd ganddynt, Dorcas yn llwyddo i wylltio Cadi, a natur ofnus Cadi'n codi gwrychyn Dorcas. Wrth i'r wythnosau fynd heibio, dysgodd y ddwy i gyd-fyw, a gwellodd Saesneg Dorcas yn raddol. Roedd hi'n dal i gael trafferth i ddilyn sgwrs pan oedd mwy nag un yn siarad, ond roedd hi'n gwella os oedd y sgwrs yn arafu a'r siaradwr yn dangos amynedd.

Pan aeth Dorcas yn ei blaen i'r *dining room*, er mwyn glanhau, ni allai gredu ei llygaid. Roedd yn union fel stafell brenin. Un o'r pethau yr oedd yn dotio ato fwyaf oedd y to, a'i addurniadau wedi eu gwasgu at ei gilydd a phob manylyn yn berffaith. Roedd y bwrdd enfawr oedd yn llenwi'r stafell wedi ei bolisio nes roedd modd gweld eich wyneb ynddo. Sgleiniai'r cadeiriau hefyd, ac roedd y carped yn foethus dan draed. Teimlai Dorcas yn berson gwahanol dim ond wrth fod yn y stafell am ychydig funudau. Hanna oedd efo hi'r bore hwnnw i lanhau'r brasys.

"Ti wedi gwirioni efo'r stafell hon, dwyt?" sylwodd Hanna.

"Dwi'n dal i fethu credu bod y fath le yn bod. Edrych, mae'r bwrdd yn sgleinio cymaint."

"Pan mae'r canhwyllbrennau wedi'u goleuo, mae'n fwy hudol fyth. Mi fydd polish arnyn nhw'n eu gweddnewid. Bydd rhaid inni roi cyfnas ar y bwrdd yn gynta – maen nhw'n rhy drwm inni eu cario lawr i'r seler."

Aeth Dorcas i syllu ar y llun enfawr oedd yn gorchuddio'r wal ym mhen draw'r stafell.

"A dyma nhw, felly?" gofynnodd, gan syllu ar y grŵp teuluol o dad a mam a chwech o blant.

"Hmm ... rhieni'r Lord ydi'r rheini, dwi'n credu. Y cŵn ydw i'n eu hoffi, maen nhw mor fyw."

Roedd y cyfan yn edrych yn fyw i Dorcas. Welodd hi erioed lun tebyg, yn enwedig un mor fawr. Roedd eu dillad yn ddigon o ryfeddod, ac ar fraich y ferch yr oedd aderyn mawr.

"Fasa'r Lord yn un o'r plant 'ma felly?"

"Bydda – nid yr hynaf, yr un mewn coch, ond y nesa ato fo – hwnnw sydd â'i law ar y milgi. Fo adeiladodd y castell 'ma. Fuo farw ei dad o ryw bymtheg mlynedd yn ôl."

Syllodd Dorcas ar y plentyn bach breintiedig. Rhyfedd mai hwn oedd y Lord Penrhyn presennol. Edrychai'n rhy ddiniwed i fod yn Lord.

"Pwy ydi'r bobl eraill sy yn y lluniau 'ta?" holodd wrth edrych o'i chwmpas ar yr holl bortreadau mewn fframiau cain.

"Sgen i ddim syniad – mwy o'r teulu, debyg. Maen nhw i gyd yn edrych 'run fath i mi."

"Wel, mi fydden nhw wrth gwrs, a nhwythau'n perthyn," meddai Dorcas. "A tase gen i stafell fel hon, mi fyddwn i wrth fy modd yn cael llun o Dad a Mam yn fan'no, ac Ifan a Mabli a ..."

Methodd ddweud ei henwau, roedd cymaint o hiraeth arni. Sylweddolodd nad oedd byth yn dweud eu henwau – doedd neb yma'n eu nabod.

"Tyrd, inni droi ati," meddai Hanna i arbed ei chwithdod, "neu bydd yn amser te, a fyddwn ni ddim wedi gneud dim byd."

Pan ddaeth Cadi i'w cynorthwyo i orffen y stafell, roedd hi wedi ei phlesio fod y lle yn edrych cystal.

"Cadi, wyddost ti pwy yw teulu'r Lord, a faint ohonyn nhw sy 'na? Roedd Hanna'n dangos ei lun ar y wal fan'cw pan oedd yn hogyn bach."

Edrychodd Cadi ar y llun.

"Mae Dorcas eisiau dod i'w nabod nhw'n iawn," meddai Hanna'n wamal. Roedd wedi bod yn polisio'r ganhwyllbren â'i deg egni, a chymerodd orffwys.

"Ia – George ydi hwnna," meddai Cadi. "Mae o'n hen rŵan. Ond Lord Penrhyn mae pawb yn ei alw."

Roedd Dorcas yn dal ati i bolisio ei chanhwyllbren hi. "Ond ddim ei wraig o, debyg. George mae hi'n ei alw fo."

"Mae ei wraig o wedi marw," esboniodd Cadi. Aeth ati i osod y deunydd wedi ei sgleinio ar y bwrdd. "Lady Sophia, ond mi ddaru ailbriodi."

"Ddeudais i wrthot ti fod hon yn dda efo achau, do?" meddai Hanna. "Maen nhw i gyd yn edrych 'run fath i mi."

"Gafodd Lady Sophia blant?" holodd Dorcas. Iddi hi, roeddent fel cymeriadau mewn stori.

"Do, dwy ferch, ond maen nhw'n ledis ifanc bellach. Juliana rwbath ydi'r hynaf ... Juliana Isabella, ia! Ac Emma Elizabeth ydi'r fenga. Maen nhw'n agos iawn at ei gilydd o ran oedran."

“Enwau crand ’de?” meddai Hanna. “Ti’m ffansi galw dy hun yn Dorcas Isabella?” Doedd gan Hanna ddim diddordeb yn y teulu.

“Y *Slate Queens* maen nhw’n cael eu galw. *The Queen of Diamonds* mae Juliana yn cael ei galw, a’r *Queen of Hearts* ydi’r llall.”

“Ydyn nhw’n gallu siarad Cymraeg?”

“Dorcas fach, lle mae dy synnwyr di? Saeson rhonc ydyn nhw. Mae Lord Penrhyn yn Aelod Seneddol ym mhen draw Lloegr. I be fasa fo eisiau dysgu Cymraeg?”

Teimlai Dorcas yn dwp. Dim ond eisiau dysgu oedd hi.

“Meddwl ro’n i gan ei fod o wedi’i fagu yn fan hyn, y basa ganddo fo ryw grap ar yr iaith.”

Gwyliodd Hanna’r ddwy gyda diddordeb. Wyddai hi mo’r peth lleiaf am y Lord, ond roedd y sgwrs yn ddiddorol. Roedd hi’n amlwg fod Dorcas yn ferch beniog.

“Wydda fo ddim am y castell tan iddo etifeddu’r lle ’ma,” eglurodd Cadi. “Pam fasa fo’n gwybod am le fel hyn a fynta’n byw ym mhellafoedd Lloegr?”

“Ond mae Pennant yn ei enw fo,” dadleuodd Dorcas. Mi wyddai gymaint â hynny. “Ac mae hwnnw’n enw Cymraeg.”

“Sticio Pennant at ei enw wedyn ddaru o.”

Ni wyddai Dorcas fod pobl yn cael gwneud hynny.

Aeth Cadi’n ei blaen. “Fuo Richard Pennant farw, a doedd ganddo fo ddim etifedd, felly oedd raid dod o hyd i rywun arall. Mae’r George ’ma’n perthyn rywsut – paid gofyn sut – i un gangen o’r teulu, felly fo etifeddodd y Penrhyn. George Hay Dawkins Pennant ...”

“‘Gwair’ ydi ystyr ‘hay’,” meddai Hanna. “Enw rhyfedd ’te?”

Roedd pob dim am y teulu'n rhyfedd ym meddwl Dorcas.

"Meddylia'r sioc," meddai Hanna, oedd wedi ailgychwyn ar y sgleinio, "cael llythyr rhyw fore yn deud: 'Rydach chi wedi etifeddu Castell Penrhyn.'"

"Doedd o fawr o gastell 'radeg honno. Chwiw y Lord presennol ydi hwn. Roedd o'n dŷ bonedd, ond yn ddim i'w gymharu â'r hyn ydi o rŵan. Mae o jest yn ychwanegu ato fo drwy'r amser ..."

"Felly dydi'r castell ddim yn hen?"

"Dim ond edrych yn hen mae o."

Pam fyddai rhywun yn adeiladu rhywbeth newydd er mwyn edrych yn hen? meddyliodd Dorcas. Roedd popeth am y lle yn smâl.

"Pam fyddet ti'n gneud hynny?"

"Be arall wnei di efo gormod o arian?" gofynnodd Hanna. "Rhaid i ti ei wario rywsut ..."

"Ond dydi o ddim yn byw yma," meddai Dorcas. "Hynny sy'n fwy o ddirgelwch na dim."

"Pwy ŵyr? Dydi eu meddyliau nhw ddim 'run fath â rhai ni," meddai Hanna'n athronyddol.

Roedd Cadi wedi gorffen tacluso'r stafell.

"Ond mae gan Dorcas bwynt, Hanna. O wario'r holl bres, mi fyddet yn disgwyl iddo dreulio mwy o amser yma. Rhaid fod y cartrefi eraill sy ganddo yr un mor grand."

Ar stôl yn ceisio cyrraedd y gwe pry cop uchaf, sylwodd Dorcas ar luniau oedd yn ymddangos yn gwbl estron. Lluniau o wlad arall oedden nhw, efo clogwyni anferth, ac afon yn y tu blaen. O bobtu'r afon, roedd pobl ddu yn gwneud gwahanol dasgau.

Doedd hi erioed wedi gweld pobl ddu o'r blaen.

"Mae'r rhain yn lluniau dieithr – ydych chi wedi sylwi arnyn nhw?" gofynnodd.

Daeth Hanna ati. "Lluniau Jamaica ydi rheini, yn sicr i ti."

"Ydi Lord Penrhyn wedi teithio yn bell 'ta?"

"Teithio?" meddai Cadi. "Fo pia'r tiroedd yna."

Edrychodd Dorcas yn ddryslyd arni, a throdd Cadi at Hanna.

"Waeth i mi heb â deud wrthi am gyfoeth y Lord, does ganddi ddim syniad."

"Methu deall ydw i," meddai Dorcas, "os pia fo gymaint o dir yn y wlad yma, i be mae o eisiau mwy o dir yn Jamaica?"

"Caethweision," meddai Cadi fel petai'n ateb cwbl amlwg. "Mae ganddo chwarelwyr yn gweithio iddo yn y chwarel, ni'n gweithio iddo yn fan hyn, a chaethweision yn gneud pres iddo ym mhen arall y byd."

Syllodd Dorcas ar y llun am hir. Felly rhain oedd y caethion. Dyna oedd eu dillad. Ar gyfer y rhain y bu ei theulu'n gwehyddu'r holl wlanen. Hyd yma, roedden nhw fel cymeriadau mewn stori yn ei meddwl. Od oedd gweld eu lluniau yng nghanol eu tirwedd eu hunain. Ac mor fach oedden nhw yn y llun – doedd dim modd gweld eu hwynebau. Mor wahanol i'r llun o deulu'r Lord.

Edrychodd ar lun arall – llun tawel a llonydd efo tai mawr yn y cefndir. Roedd pedwar ych a throl mewn cae, ac roedd y caethweision yn sefyll o'u hamgylch. Doedden nhw ddim yn edrych fel petaent yn dioddef yn arw. Astudiodd y llun a gweld eu bod yn torri'r gwair hir efo cyllell. Roedd y gwair yn wyrdd ac yn dal. Yna sylwodd ar rywbeth a'i synnodd yn fawr.

Roedd y dillad a wisgai'r caethweision yn las llachar, yn biws ac yn goch. Roedd hi wedi bod yn iawn yr holl amser! Byddai'r wlanen roeddent wedi ei gwehyddu gartref wedi elwa'n fawr o gael ei lliwio. Ac i feddwl bod Ifan wedi bod mor ddirmygus o'i syniadau.

"Ydi'r lle ma'n ddigon da rŵan?" gofynnodd Hanna. "Dwi ar lwgu."

Edrychodd Cadi o'i chwmpas.

"Ydi. Dwi'n meddwl y byddai Miss Grantham hyd yn oed yn fodlon ar hon."

"Dorcas! Wyt ti wedi gorffen astudio'r lluniau yna bellach?"

"Dwi'n dod!" meddai Dorcas, a phrysurodd i ymuno â'r lleill.

Pennod 14

Fe ddaethant yn y diwedd, teulu'r Lord Penrhyn, wedi holl halibalŵ y paratoi. I Dorcas a'r morynion eraill, roedd fel petai Dydd y Farn wedi cyrraedd. Roedd Miss Grantham a'r prif staff wedi gweithio eu hunain i banig na fu ei debyg. Ar ôl gweld un o'r paentiadau yn y stafelloedd, meddyliai Dorcas mai dyna sut fyddai eu dyfodiad – cerbyd aur yn dod drwy'r cymylau ac angylion bach yn chwarae utgyrn i ddathlu. Pan ddaeth y neges eu bod wedi dod, rhuthrodd Dorcas a'r morynion eraill i'r ffenest yn nhop y castell i wylio'r syrcas.

Hyd yn oed wedyn, cafodd Dorcas ei synnu o weld maint yr osgordd. Mewn dim, roedd cwrt y castell wedi ei lenwi efo hanner dwsin o gerbydau a cheffylau, a newidiodd yr awyrgylch yn syth. Dotiodd yn fwy na dim at wisgoedd ysblennydd y merched. Roedden nhw'n rhyfeddol, yn gain a graen arnynt, bob un efo boned fechan yn gweddu'n berffaith. Edrychent yn union fel doliau bach. Safai prif staff y Penrhyn mewn rhes i ffurfio gosgordd groesawu, ac roedd y cwrt yn ferw o bobl yn tynnu bocsys oddi ar gerbydau, yn ysgwyd llaw, ac yn rhyddhau'r ceffylau. Ffolodd Dorcas at brysurdeb yr olygfa a'r holl fynd a dod.

"Faint ohonyn nhw sy 'na?" gofynnodd mewn rhyfeddod.

"Digon i neud yn siŵr y byddwn ar ein gliniau mewn dim o dro," atebodd Cadi'n biwis. "Mi fyddi'n gweddïo am weld eu cefnau mewn dipyn. Wn i ddim pam wyt ti wedi cynhyrfu gymaint."

Ond ni allai Dorcas atal y cynnwrf a deimlai. O'r diwedd, roedd rhywbeth yn digwydd i darfu ar yr undonedd. O'r diwedd, gallai fod dan yr un to â'r Bobl Fawr. Meddyliai am lygaid Mabli'n edrych arnynt. Byddent yn llenwi'r lle â sŵn a chyffro.

"You won't meet any of them, you know that," meddai Sybill, un arall o'r morynion.

"Ydi hynny'n wir, Cadi?" gofynnodd Dorcas yn dawel.

"Ydi – dwi wedi deud wrthot ti o'r blaen. Dwyt ti – na ninnau – ddim yn ddigon pwysig. Meddwl amdanat dy hun fel cocrotsian, neu wrach-tŷ-cwta, yn sbydu o gwmpas y lle, ac mewn peryg o gael dy sathru dan draed. Dyna dy statws am yr wythnosau i ddod."

Cofiodd Dorcas y gymhariaeth.

Bellach, a hithau'n garcharor yn y stafell foel ac yn myfyrio ar ei bywyd, meddyliodd Dorcas mai dyna pryd aeth pethau'n wirioneddol flêr. Oedd, roedd yn anhapus, ond roedd modd goddef pethau, ac roedd modd dal ati o ddydd i ddydd. Diflastod oedd yn nodweddu'r wythnosau cyntaf hynny, a diffyg Saesneg.

Ond wedi i'r Lord a'i deulu ddod, trodd y castell a'i wyneb i waered, a doedd dim yr un fath wedyn. Ond pam oedd hi'n synnu? Drysu bywydau pobl roedd Lordiau'n ei wneud erioed.

Gweithiodd Dorcas yn galed, do, gwnaeth ei gorau, ond doedd ei gorau ddim yn ddigon. A dechreuodd suddo. Ni fyddai pethau wedi gallu bod fel arall.

Meddyliodd am y dotio a wnaeth at y stafelloedd yn y dyddiau cynnar. Ni allai gredu fod y fath harddwch yn bod. Oni ddylai hynny fod wedi ei rhybuddio? Pa fath o bobl allai fod wedi crynhoi'r fath rialtwch o oferedd? Roedd pob diwrnod yn datgelu ffantasi fwy rhyfeddol na'r diwrnod cynt, ac roedd ei dychymyg yn cael ei danio. Hyd yn oed os mai paratoi ar gyfer dyfodiad y Lord a wnâi, roedd cael gweld y fath addurniadau a'r fath stafelloedd yn bleser dyddiol. Agorwyd ei meddwl i werthfawrogi harddwch y cain a'r coeth. A daeth i nabod Cadi a Hanna'n well. I bob pwrpas, roedd yn dechrau setlo yn ei hamgylchedd newydd.

Oni rybuddiwyd hi gan Cadi? Fe ddywedodd Cadi fwy nag unwaith mai hwnnw oedd y tawelwch cyn y storm. A phan ddaeth, daeth fel corwynt a rhwygo ei holl fywyd yn ddarnau mân. A dyna pam yr oedd bellach ar ei phen ei hun mewn stafell maint bocs, yn aros ei thynged.

Y ffaith nad oedden nhw'n gweld yr ymwelwyr oedd y peth mwyaf rhyfedd. Trodd y castell yn ddau hanner, un hanner yn brysur fel nyth morgrug, a'r hanner arall yn pesgi ar eu llafur. Yr hyn wnaeth ddrwg mawr oedd staff preifat y Lord ei hun. Parodd hynny densiwn yn rhan y gweision o'r castell. Ddaru Dorcas erioed feddwl y byddai'n tosturio wrth Miss Grantham, ond mewn dim, roedd hi ris yn llai ei hawdurdod, ac yn cael ei thrin yn israddol. Golygai hyn fod rhaid dygymod â threfn wahanol eto fyth – mwy o bobl i arfer â'u hwynebau a deall pwy oedd yn feistr ar bwy. Nid fod hynny'n anodd i forynion bach fel hi – ar y gwaelod roedden nhw'n wastadol. Ond yn niffyg dim byd i'w wneud yn awr, roedd ei meddwl o hyd yn troi i'r gorffennol a cheisiai ddyfalu sut aeth pethau cynddrwg.

Chwerwodd pethau'n ddirfawr efo'r staff newydd. Cyrhaeddodd criw mawr ohonyn nhw a dechrau ei lordio'n syth. Nhw oedd y rhai uwch, nhw oedd â'r Saesneg gorau, nhw oedd â'r swyddi gorau. Ac fe chwalon nhw'r drefn yng nghegin y Penrhyn. Cymerodd y *chef* yr awenau yn y gegin, ac roedd Miss Grantham yn gorfod ymgreinio iddo. Roedd gan Lord Penrhyn ei fwtler ei hun a'i *footmen*, a chafodd pawb wybod yn go sydyn eu bod yn gostwng ris neu ddwy. Unwaith y byddai pawb yn canfod eu safle, meddyliodd Dorcas y byddai pethau'n setlo, ond roedd yna gamddealltwriaeth dyddiol am bwy oedd yn gwneud beth. Peidiodd gwaith Cadi a hi yn glanhau'r stafelloedd mawr; glanhau'r gegin, gwneud y gwlâu a'r tân oedd eu tasgau dyddiol. Roedd y gwaith yn fwy blinedig hefyd am na wyddent yn iawn pryd y byddai eu tasgau'n gorffen.

"Fedra i neud dim rhagor," meddai Dorcas un noson, "dwi'n cysgu ar fy nhraed."

Edrychodd Cadi arni.

"Mae hyn am fod yn ddiddorol. Streic. Dydan ni ddim wedi cael un yn y castell o'r blaen."

"Be wyt ti'n ei feddwl?"

"Stopio gweithio – mi ddigwyddodd yn y chwarel rhyw bum mlynedd yn ôl, medda Tada. Chwarelwrs yn aros allan am ddiwrnod cyfan am bod nhw eisiau gwell telerau. Tacla barus."

"Rho'r gorau iddi, Cadi."

"Fedri di gofio'r geiriau Saesneg hyn, 'I'm not working any more' – fedri di?"

Ei hanwybyddu oedd y peth gorau.

"'Mond deud 'mod i wedi blino wnes i."

Eistedd yn y gegin yr oedden nhw, a'r cloc wedi troi deg y

nos. Roeddent newydd orffen golchi llestri swper pawb, ac wedi llwyr ymlâdd. Ond roedd y Lord a'i deulu yn dal ar eu traed, a'r gweision eraill yn gweini arnynt. Nid oedd modd mynd i'r gwely nes roedd y gegin wedi ei chlirio'n llwyr. A'r drwg efo cegin mor fawr oedd fod cymaint o waith clirio.

Daeth Miss Grantham i mewn yn ddirybudd.

"This is a pretty picture," meddai'n wamal. "Two lazy Welsh goats settling down for the night."

Cododd Cadi ac ymddiheuro.

"Edwards, get up."

Teimlai Dorcas yn reit chwil wrth godi.

"I'm very tired, Miss Grantham."

"Well, you'd better get used to this, as this is how it's going to be for the next few months. The Lord loves his evening's tipple. And he loves entertaining. Finish washing the dishes when they come, and the kitchen should be spick and span for tomorrow's chores. I'm retiring now. Good night."

A chaeodd y drws.

"Ddylet ti byth ddeud wrth Grantham dy fod wedi blino, Dorcas. Mae'n ei weld fel arwydd o wendid. Dorcas?"

Ond roedd Dorcas wedi suddo yn ôl i'w chadair ac yn hepian cysgu.

Pennod 15

Ond os oedd Dorcas wedi meddwl y byddai cwsg yn noddfa iddi wedi'r fath flinder, a hithau a Cadi wedi cyrraedd eu gwlâu o'r diwedd, roedd yn camgymryd. Deffrodd yn sydyn ganol nos yn clywed sŵn crio.

"Cadi ... Cadi ... be sydd?"

Dim ymateb.

Cododd Dorcas o'i gwely a mynd at Cadi. Roedd honno'n cysgu'n drwm. Rhaid ei bod wedi dychmygu. Aeth Dorcas yn ôl i'w gwely a cheisio setlo eto, ond fel yr oedd yn cael gafael ar gwsg, clywodd yr un sŵn drachefn.

Neidiodd ar ei heistedd yn meddwl bod rhywun yn y stafell.

"Pwy sy 'na?" sibrydodd.

Gwrandawodd.

Oedd, roedd rhywun yn bendant yn crio, ond sŵn y tu allan i'r stafell ydoedd. Mentrodd at y drws. Gwyddai fod bod allan o'i stafell yn ystod oriau'r nos yn drosedd, ond ni allai anwybyddu'r sawl oedd yn torri ei galon. Trodd ddwrn y drws. Roedd hi fel y fagddu yn y coridor, a doedd Dorcas ddim yn rhy sicr o'i ffordd o hyd, ond mentrodd yn droednoeth i'r chwith. Roedd yn anodd gwybod o ble deuai'r sŵn.

Safodd. Doedd dim smic.

Dechreuodd Dorcas feddwl ei bod yn colli ei phwyll. Yn ei choban, yn droednoeth, ac yn flinedig, ceisiai benderfynu ai yn ei meddwl hi oedd y sŵn. Ai neges oedd hyn? Oedd 'na rywun yn sâl gartref? Oedd ei thad yn wael?

Gyda pheth rhyddhad, clywodd y sŵn eto. Roedd yn wannach, roedd yn wahanol. Roedd yn fwy fel ochneidio. Falle nad oedd i fod i glywed y sŵn. Falle na ddylai fusnesu. Ond roedd o'n sŵn torcalonnus, ac roedd y truan angen help. Cerddodd yn ei blaen ar hyd y coridor, yna gwelodd gysgod. Dychrynodd, rhewodd.

Beth bynnag ydoedd, doedd hi ddim i fod i'w weld. Trodd ar ei sawdl a phrysuro yn ôl i'w stafell a'i chalon yn curo fel gordd. Wrth gwrs, wedi cyrraedd ei gwely, doedd dim modd iddi gysgu wedyn. Bu'n troi a throsi, ac yn y diwedd, cododd a mynd at y ffenest. Roedd gewin lleuad yn crogi yn yr awyr, ac roedd yn gysur i Dorcas feddwl mai'r un lleuad ydoedd â'r un a welai Mabli pe edrychai hithau drwy ffenest ei llofft yn Nhyddyn Pricia yr eiliad honno. Ond mwy na thebyg, roedd Mabli yn ei gwely'n cysgu'n sownd. Doedd dim rhamant mewn dychmygu bod allan yng ngolau'r lloer bellach. Diflannodd hwnnw efo'r daith o Fetws-y-coed ar y noson gyntaf honno ... Dychwelodd Dorcas i'w gwely, ac ymhen hir a hwyr, fe ddaeth cwsg i foddi ei phryderon.

Pan wawriodd, Dorcas flinedig iawn a wynebodd y diwrnod. Cafodd Cadi drafferth i'w deffro. Penderfynodd Dorcas beidio dweud 'run gair wrth Cadi am y noson cynt. Fyddai hi 'mond yn gwneud sbort ar ei phen. Mae'n siŵr mai ei dychymyg oedd wedi chwarae castiau arni. Er mai dim ond pump y bore oedd hi, rhaid oedd gwisgo a molchi mewn hanner awr a chofio gwneud eu gwlâu.

Tasg gynta'r dydd oedd tanio'r stof yn y gegin, er bod gwres neithiwr yn dal ynddi.

"Dwi'n teimlo weithiau nad ydi hi werth inni fynd i'n

gwlâu," meddai Cadi. "Ti oedd yn iawn neithiwr, Dorcas. Fasa waeth tasen ni wedi cysgu yma, un o boptu'r tân." Trodd at ei chyfnither. "Rwyt ti'n iawn, wyt ti, Dorcas? Dwyt ti ddim wedi pwdu, naddo?"

"'Mond wedi blino," atebodd hithau.

Daeth y morynion eraill i'r gegin a dechrau paratoi brecwast y gweision. Unwaith roedd y stof wedi ei chynnau, roedd angen mynd yr holl ffordd 'nôl i'r stafelloedd gwely i wagio potiau'r morynion. Hon oedd cas swydd Dorcas. Unwaith y byddai wedi eu gwagio, roedd angen glanhau'r cyfan efo cadach a finag, a wnaeth hi erioed arfer â'r gwaith. Gallai weld wyneb Miss Grantham yn edrych arni, ac yn ei rhybuddio:

"Really, really clean, Edwards. Don't cut corners." A Dorcas wedi meddwl peth mor wirion oedd hynny gan nad oedd corneli ar bot pi-pi.

Ac unwaith roedd hi wedi gwneud hynny, rhaid oedd mynd â'r te i'r gweision a'r morynion uwch, ac roedd honno'n dasg flinderus. Dyna swm a sylwedd ei bore, meddyliai – llenwi'r staff â the, a gwagio'r piso wedyn. Gweini ar fyddigions, wir! Gweini ar weision a morynion roedd hi. Roedd y drefn i gyd er mwyn gwneud iddi deimlo'n israddol. Rhoi cyrtsi i'r prif gogydd oedd y gorchymyn diweddaraf a gafodd. Ysgydwodd ei phen mewn anobaith. Beth pe gwyddai ei rhieni sut y câi ei thrin? Ac roedd gorfod mynd i'r eglwys yn ddyddiol yn dal yn dân ar ei chroen. Doedd hi ddim wedi sgwennu llythyr arall at Mabli wedi'r un cyntaf hwnnw oedd yn llawn celwyddau. Roedd rhyw chwerwedd newydd wedi dod i nodweddu ei natur.

* * *

Chwarter awr a gâi hi a Cadi a'r is-forynion eraill i fwyta eu bwyd. Roedd yn amser clirio ar ôl gweddill y morynion a'r gweision wedyn a golchi eu holl lestri brecwast hwy. Cario dŵr a'i gynhesu ar y stof oedd gwaith Dorcas, ac roedd o'n waith oedd yn straen garw ar ei chefn. Diolchodd nad oedd Mabli gyda hi'n gwneud y gwaith. Yr unig fantais efo'r gwasanaeth boreol oedd ei fod yn gyfle i eistedd i lawr a chael seibiant, hyd yn oed os mai am hanner awr fer roedd o'n para.

Wrth olchi llawr y cefn cyn cinio, cafodd Dorcas gyfle i gael sgwrs efo Hanna.

"Mae golwg fel trychiolaeth arnat, Dorcas."

Er mawr syndod iddi ei hun, ac i Hanna, dechreuodd Dorcas grio'n afreolus.

Aeth Hanna ati'n syth a'i chofleidio.

"Be yn y byd sy'n bod?"

"Wn i ddim. Jest ... 'mod i wedi blino, dyna i gyd," ond dal i ddod wnâi'r dagrau.

"Wyt ti'n cysgu'n iawn?"

Am eiliad, meddyliodd Dorcas y byddai'n rhannu'r hanes amdani'n clywed y llais yn y nos, ond meddyliodd eto. O'i ddweud wrth rywun arall, swniai'n gwbl hurt.

"Ydw ... ond 'mod i'n troi a throsi," atebodd Dorcas.

"Dydi'r crio yma ddim 'run fath â ti o gwbl."

"Dwi'n gwybod, dwi jest wedi cyrraedd pen fy nhennyn."

I raddau, roedd yn rhyddhad cael eistedd ar lawr y gegin gefn, a beichio crio.

"Cymer saib – ddaw'r sguthan Grantham 'na ddim o gwmpas am dipyn, ond well i mi ddal ati."

Angel oedd Hanna, meddyliodd Dorcas. Diau nad oedd y

morynion eraill yn ddrwg i gyd, ond ni allai siarad â hwy – roedd ei Saesneg yn dal yn enbyd o wael. Meddyliodd am Ifan a Mabli a Lewis bach, a thorrodd ei chalon.

"Oes rhywbeth wedi digwydd, Dorcas?"

Ysgydwodd Dorcas ei phen.

"Hiraeth sy gen i."

Gwyddai Hanna fod hiraeth yn gallu brathu. Roedd o'n un o'r pethau oedd yn brifo waethaf.

"Mae hwnnw'n brifo'n fwy na dim, Dorcas. Ac mae o yna drwy'r amser. Dydi o ddim yn mynd o'na. Mae o fel stwmp ar dy stumog."

"A ... a ... dwi eisiau bwyd." Sniffiodd Dorcas, ond roedd hi'n methu â dod ati ei hun.

Cododd Hanna a mynd i'r gegin. Daeth yn ei hôl efo diod o ddŵr a darn o fara.

"Hwda," meddai. "Dwi'n gwybod basa paned o de yn syniad gwell, ond gawn ni ein dal."

Rhoddodd ddarn o fara i Dorcas, a dechrau bwyta'r dafell arall ei hun.

"Ond chawn ni ddim bwyta hwn ..."

"Llynca fo gynted ag y gelli, a fyddan nhw ddim callach. Randros – ti eisiau bwyd, a 'dan ni mewn cegin. Be arall fedar rywun ei wneud? Maen nhw wedi gloddesta drwy neithiwr, ac maent wedi rhochian cysgu drwy'r nos, ac yn disgwyl cinio sylweddol rŵan. Does gen i ddim amynedd efo'r un ohonynt. Rŵan, byta fo."

Ufuddhaodd Dorcas. Roedd hi'n edmygu ysbryd Hanna. Roedd Hanna'n gwylltio'n llawer gwell na Cadi. Roedd Cadi fel llyn llefrith a dim yn ei styrbio.

Cadwodd Hanna'r ddwy bwced a sythu.

"Reit, mi ledi, wyt ti'n teimlo'n well?"

Nodiodd Dorcas.

"A rŵan, mi awn ni'n dwy allan i nôl tatws."

"Na, cha i ddim gneud hynny. Dim dyna 'ngwaith i."

"Neith dipyn o awyr iach fyd o les i ti. Fy ngwaith i ydi o, ond ew, mae 'nghoesau'n brifo." Trodd at Dorcas a gwenu. "Dwi'n cael trafferth symud." Aeth Hanna i'w chwman a gwatar hen wraig.

"Hen ydw i, Dorcas fach. Bydd rhaid i mi gael help i gario sachaid o datws i'r tŷ, a dwi'n gwybod na wnei di ddim gwrthod hen greadures fel fi ..." Rhoddodd winc.

Bu raid i Dorcas wenu.

"Ol-reit, mi ddof."

"Ti'n gweld? Mae o wedi gweithio! Dwi wedi cael gwên ar dy wyneb ..."

"Diolch i ti, Hanna. Rwyt ti'n donig. Fydd rhaid inni gadw llygad am y Sguthan hefyd ..."

Aeth y ddwy allan i'r gerddi, ac i'r cwt yn y pen draw.

"Ddaw y Sguthan ddim o hyd inni. Un pâr o lygaid sy ganddi, a mae llawer mwy o bobl na ni i'w gormesu. Anghofia amdani."

Roedd Hanna'n iawn. Cawsant ddeng munud braf yn y cefn yn cario'r tatws ac yn anadlu'r awyr iach. Ni ddaeth Miss Grantham ar eu cyfyl.

Pennod 16

Beth oedd teulu'r Lord yn ei wneud drwy'r dydd? Dyna oedd yn mynd drwy feddwl Dorcas. A chymryd eu bod yn hoff o dreulio amser yn eu gwlâu, a bwyta eu brecwast yno, roedd gwisgo'n grand ac addurno eu gwalltiau'n gallu cymryd gweddill y bore. Wedi pwt o ginio, beth mwy oedd i'w wneud? Doedden nhw ddim yn gorfod golchi llestri, roedd eraill yn glanhau ar eu holau, doedd ganddyn nhw ddim dyletswyddau golchi dillad a chyfnasau, doedd dim angen rhoi pwyth mewn dim byd – sut yn y byd oedden nhw'n treulio eu hamser? Roedd gweld cyfeillion a chiniawa, gwledda ac yfed yn ffordd o dreulio gyda'r nos, ond beth ar y ddaear oeddent yn ei wneud fel arall? Bosib ei fod yn fywyd diflas – ni wyddai Dorcas. Roedd yn gas ganddi ddal ei dwylo a bod yn segur. Byddai'n rhaid iddi ddweud wrth Mabli ei bod yn dechrau newid ei meddwl am y gêm 'chwarae pobl gyfoethog'. Rhyfedd fel roedd ei chwaer yn Nhyddyn Pricia yn dyheu am gael bywyd fel ledi, ac mewn gwirionedd, roedd bywyd Mabli'n nefoedd, tase hi ond yn gwybod hynny.

Peidio gweld teulu'r Lord oedd y peth odia, a phawb dan yr un to. Hawdd fyddai credu nad oeddent yno. Ond roedd eu holion i'w gweld. Byddai tunelli o fwyd yn gadael y gegin, a deuai platiau a gwydrau budron yn ôl. Roeddent yn yfed fel pysgod – roedd hynny'n amlwg o'r pentwr poteli gwin gwag oedd yn tyfu'n ddyddiol yn y cefn. Roedd eu budreddi'n amlwg yn y stafelloedd, ac roedd y golchdy'n cyson brysur yn golchi eu dillad budr. Ia, dim ond eu budreddi oedd y gweision a'r morynion yn ei weld. Deuai eu sgidiau a'u botasau i'r stafell lanhau, a weithiau byddai Dorcas yn syllu arnynt. Dychmygai'r bobl oedd yn eu gwisgo, creaduriaid anweledig efo dim ond eu sgidiau yn y golwg. Daeth i'w meddwl mai pry genwair oedd hi, a dim ond sgidiau pobl oedd hi'n gallu eu gweld. Trodd perchnogion y sgidiau yn gymeriadau mytholegol yn ei meddwl. Pan oedd eu dillad isaf yn sychu ar y lein, yr un profiad oedd hynny. Gwelai'r cymeriadau anweledig ar y lein, a dim ond eu dillad yn amlwg i'r llygad – peisiau moethus Isabella ac Emma Juliana, neu beth bynnag oedd eu henwau, a sanau George, y Lord ei hun.

Unwaith yn unig y gwelodd Dorcas hwnnw. Un tro roedd hi ar yr ail lawr, wrth y ffenest, ac edrychodd allan. Yn y pellter, gwelodd dri dyn yn marchogaeth. Roeddent yn siarad efo'i gilydd, ac roedd y ceffylau'n rhai hardd. Ni allai eu gweld yn glir, ffigyrau bychain oedden nhw o bell, ond roedden nhw yno ac yn cael amser da. Dyfalodd p'run oedd y Lord, a phwy oedd y lleill ... roedden nhw i gyd yn ddynion urddasol, smart. Felly dyna un peth arall roedden nhw'n ei wneud â'u hamser – hela.

Rai diwrnodau wedi hyn, a Dorcas yn ei gwely wedi ymlâdd ar ôl diwrnod o waith, fe glywodd y sŵn crio eto. O, am sŵn digalon! Ia, hwnnw oedd y sŵn, yr un un ag a glywodd o'r blaen. Yn y diwedd, deffrodd yn iawn a chodi ar ei heistedd. Nid wedi ei ddychmygu yr oedd wedi'r cwbl. Bu'n ddigon uchel i'w deffro. Gwrandawodd eto. Doedd dim modd mynd yn ôl i gysgu tra clywai'r fath sŵn. Roedd rhywun mewn trafferth. Yn dawel bach, camodd o'i gwely a mynd at y drws. Agorodd o'n dawel a rhythu i'r tywyllwch. Dim byd, dim smic. Ac eto ...

Na, roedd o yno, rhyw sniffian crio, ac yna aeth yn waeth. Yn nyfnderoedd y castell oedd o, ymhell i ffwrdd. Ond roedd rhywun naill ai mewn poen, neu'n ddychrynllyd o ddigalon. Beth ddylai Dorcas ei wneud? Deffro Cadi oedd y peth greddfol, i gael cwmni a chyngor. Ond rhywsut, teimlai na châi fawr o gydymdeimlad. Falle mai Cadi oedd yn iawn. Falle mai caledu ddylai hi wneud. Wedi'r cwbl, nid ei phroblem hi ydoedd. Camodd yn ôl tua'i stafell. Fel roedd yn ymbalfalu am ddwrn y drws, dwysaodd y sŵn. Griddfan ydoedd, griddfan isel, anobeithiol. Ai anifail ydoedd? Naci, griddfan dynol oedd hwnnw yn bendant. Safodd. Gwyddai na allai ei anwybyddu. Roedd ei magwraeth wedi dysgu iddi na allai adael i rywun ddioddef – nid os oedd modd iddi leddfu'r boen. Pwy bynnag oedd mewn trybini, gallai roi gair o gysur ...

Trodd a wynebu'r coridor. Byddai'n rhaid iddi ganfod y grisiau a mynd i lawr y rheini. Ar y llawr is, yn y gwyll, mentrodd yn ei blaen, gan ddilyn y sŵn. Yna, mwyaf sydyn, distawodd popeth. Ni wyddai Dorcas ble roedd hi. Oedodd. Roedd yn oer, yn ei choban, ac yn droednoeth. Yna, fe'i clywodd eto. Dyna un nodwedd ohono, mynd a dod a wnâi. Cadw i fynd oedd y peth gorau. Aeth i lawr set arall o risiau. Cadw at risiau'r morynion oedd y peth pwysig. Roedd Cadi wedi ei rhybuddio rhag mynd i lawr y grisiau eraill.

Ac eto ... falle mai dyma oedd ei chyfle. A hithau'n ganol nos, doedd neb am ei gweld yn mentro ... Os oedd hi am feiddio defnyddio'r grisiau arall ... trodd, ac aeth ar hyd y coridor. Daeth at y pileri anferth oedd yn dod o'r Brif Neuadd. Roedd golau lleuad yn dod drwy'r ffenestri, ac yn ddigon i roi golau egwan ar y cerfiadau. Safodd yn stond wrth i anferthedd y lle ei tharo. A'r gwaith celf! Pa ddychymyg rhemp a'i lluniodd? Roedd sawl bwa'n croesi ei gilydd yn y to. Roedd yn ormodiaeth ar ben gormodiaeth. Lle bynnag yr edrychai, roedd pob modfedd wedi ei cherfio mor gywrain. Faint o oriau gymerodd y cyfan i'w wneud? Gwaith tylwyth teg yn ddiamau ydoedd ... Doedd bosib mai gwaith llaw dyn oedd y cyfan? Nid oedd Mabli na hithau, yn eu breuddwydion mwyaf gwallgof, wedi meiddio dychmygu dim byd oedd chwarter mor odidog â hwn.

Gwelodd ffurf y colofnau fel coed anferth yn cau amdani. Edrychodd ar yr wynebau rhyfedd yn syllu arni. Doedd hi ddim wedi cael amser i astudio'r rhain mor drylwyr o'r blaen. Doedd dim un ohonyn nhw yr un fath. Roedd eu llygaid yn gylchoedd o fewn cylchoedd, roedd un yn tynnu tafod arni! Roedd y nesaf efo dannedd yn y golwg, a dau dafod yn dod allan bob ochr i'w geg! Un arall a'i safn ar agor yn fygythiol ...

Mwya sydyn, roedd gan Dorcas ofn. Mentrodd yn rhy bell, a daeth dan gyfaredd od y castell. Teimlai ei fod yn anadlu, fod y castell yn rhywbeth byw. Gwylltiodd efo hi ei hun am gael y fath deimladau. Aeth i deimlo'n hynod anghyfforddus, a throdd yn ei hôl. Cyrhaeddodd y set olaf ond un o risiau, ac edrychodd i fyny. A dros y canllaw olaf, y canllaw marmor, i fyny uwch ei phen, gwelodd rywbeth a barodd i'w gwaed fferru.

Roedd pâr o lygaid go iawn yn syllu arni.

Rhewodd, ac ni allai gymryd cam yn ôl nac ymlaen.

Beth ar wyneb y ddaear oedd hi'n mynd i'w wneud yn awr? Doedd wiw iddi fynd yn ôl i lawr, doedd wybod i ba drybini yr âi, ond doedd wiw iddi fynd i fyny chwaith. Safodd lle yr ydoedd, a'i thraed ar farmor oer y grisiau, ond ymhen rhai munudau, teimlai'r gwynt yn erbyn ei choban. Yn araf iawn, edrychodd i fyny eto. Doedd yna neb yno – rhaid ei bod wedi codi ofn arni hi ei hun wrth edrych ar yr wynebau cerrig, a bod ei dychmyg wedi chwarae tric arni. Prysurodd ei cham, a chyrraedd top y grisiau.

Fferrodd Dorcas yn y fan a'r lle. Roedd gŵr ifanc yn sefyll yno ac yn ei gwylio.

Gwenodd.

"What a lovely surprise," meddai.

Gostyngodd Dorcas ei llygaid, a sylwi ar wisg gain y dyn, a'r sgidiau smart. Peidio dweud gair oedd orau.

"What's a lady like you doing out at this time of night?"

Daeth yn nes.

"Sssorry sir."

Daeth yn nes eto a chodi ei gên.

"What's your name, lovely angel?"

Roedd ei fraich ar ei chefn ac yn ei thynnu ato.

"Don't be scared."

"I'm ... I'm ..."

"Yes?"

"I'm a scullery maid."

Chwarddodd y dyn yn ysgafn.

"Are you?" Tynnodd ei gwallt o'i hwyneb. "A very pretty scullery maid ... especially in this light."

Gallai glywed arogl diod ar ei wynt.

"I'm scared," meddai Dorcas – waeth iddi fod yn onest ddim.

Gwasgodd y gŵr hi yn ei freichiau.

"Shh ... there's no need to be scared. I'm your friend. I like you. What's your name?"

"Dorcas. It's ... It's Welsh."

"Now, Dorcas, my little Welsh angel. Are you lost?"

Nodiodd Dorcas. Falle ei fod o'n glên wedi'r cwbl.

"You're lost. You've gone to a part of the castle that you're not acquainted with ..."

"I'll have a row."

"No, no, no. You won't be told off. Where's your bedroom?"

"Up ... on the top ..."

"Hold my hand, I'll show you the way ..."

Gafaelodd yn ei law a gadael iddo ei thywys ar hyd y coridor.

Ar y trydydd llawr, gwyddai Dorcas ble yr oedd, a cheisiodd dynnu ei llaw ymaith.

"Thank you, I go now."

Arhosodd, ac edrych arni.

"Go? With no thanks? Surely not. I've taken a fancy to you." Roedd yn dal i afael yn ei llaw.

"No, sir."

Gwenodd yntau.

"You want to go?"

Nodiodd Dorcas yn frwd.

"I want to go. Much."

"All right, I must let go of you." Llaciodd ei afael yn ei llaw, ond gafaelodd yn ei braich.

“Just one more thing ...” Rhoddodd ei fys ar ei gwefusau. “Just one kiss ... is it too much to ask?”

Doedd hi ddim yn deall y cwbl, ond gwyddai ystyr ‘kiss’. Doedd hi ddim eisiau ei gusanu.

Dywedodd y peth gwirionaf y gallai fod wedi ei ddweud.

“I’m much young, sorry.”

Parodd hyn ddifyrrwch mawr i’r dyn.

“How old are you?”

“Fifteen.”

“That’s a lovely age. One kiss?”

“No, sorry.”

Cyffyrddodd ei bronnau.

“You’re lovely. One kiss and you can go.”

Daliodd hi a chusanu ei gwefusau. Wrth ei chofleidio, cododd hi yn ei freichiau.

“It’s all right, just hold on tight, and I’ll take you up.”

Dychrynodd Dorcas, a sylweddoli ei bod mewn dyfroedd dyfnion iawn. A’i holl nerth, brwydrodd yn ei erbyn, ond roedd yn gryfach na hi. Rhoddodd hi ar y llawr, a chodi ei choban.

“Na!!!!”

Rhwygodd ei choban, a gwthio’r defnydd i’w cheg. Rhoddod ei holl bwysau arni, ac mewn dim, roedd wedi ei threisio.

“Lovely Welsh angel,” meddai, a’i gadael ar y llawr a cherdded ymaith.

Pennod 17

Am ba hyd y bu'n gorwedd yno, ni wyddai Dorcas. Tynnodd y defnydd o'i cheg. Roedd hi mor sychedig. Wylodd, cysgodd, deffrodd, wylodd eto. Teimlodd ddistiau'r llawr dan ei boch. Roedd yn oer. Doedd neb yn mynd i ddod ati. Roedd y lle yn wag ac yn dywyll. Cododd ei phen yn simsan ac edrych i lawr ar y grisiau. I ble'r aeth o? Oedd am ddod yn ei ôl? Doedd dim smic i'w glywed. Roedd corff Dorcas yn brifo drosto, a theimlodd mai'r castell ei hun oedd wedi ymosod arni. Y peth pwysig oedd cyrraedd ei stafell ... cyrraedd yr unig le y gallai fod yn ddiogel ynddo, heb i neb arall ddod ar ei thraws. Cododd ar ei phengliniau. Deuai atgofion o'r digwyddiad i'w meddwl a gwasgodd ei hun yn belen. Roedd y cyfan yn wir – pam arall fyddai hi ar ei gliniau yn y coridor ganol nos a'i choban wedi ei rhwygo?

Llwyddodd i sefyll ar ei thraed, a saethodd poenau drwy ei chorff. Roedd yn rhaid iddi gael llymaid o ddŵr. Yn araf, mentrodd ar hyd y coridor a dod at ei stafell, gan wthio dolen y drws. Y funud yr agorodd y drws, syrthiodd i'r llawr. Roedd y sŵn yn ddigon i ddeffro Cadi.

"Who's there?" gwaeddodd honno mewn panig.

"Fi ... Dorcas."

Daeth Cadi o'i gwely'n drwsgwl, a chynnau cannwyll.

"Dorcas! Beth yn y byd mawr?" Plygodd i lawr a gweld yr olwg oedd arni.

“O Dorcas, Dorcas, Dorcas ... O, na ...”

Gwasgodd Cadi hi’n dynn.

“Dŵr ...”

“Does ’na ddim dŵr yma ... Fedri di godi? Mi wna i dy roi di yn y gwely, a thrio ... O, Dorcas bach ... pwy wnaeth?”

Llwyddodd y ddwy i gyrraedd gwely Dorcas, ac mewn dim roedd Dorcas wedi llewygu, neu gysgu. Eisteddodd Cadi ar erchwyn y gwely’n dal ei llaw nes y daeth ati ei hun.

“Dŵr ...”

“Does dim dŵr, Dorcas, mae’n ddrwg gen i. Aros nes bydd hi’n amser codi, ac mi gaf beth i ti, a’th olchi. Dorcas ... deud be ddigwyddodd? Ddaeth neb drwy’r drws?”

Eglurodd Dorcas iddi glywed sŵn crio, ac mai dyna barodd iddi fynd allan.

“Mae ’na ysbryd yma – mae rhai yn ei glywed,” meddai Cadi. “Ond ddylet ti ddim fod wedi mynd allan, ar boen dy fywyd. Mi ddeudais i wrthot ti ...”

Eglurodd Dorcas am y crio, na fedra hi aros yn ei gwely’n gwrando ar rywun mewn poen. Wyddai hi ddim am ysbryd. Ochneidio wnaeth Cadi, ond doedd hi ddim yn synnu at beth oedd wedi digwydd.

“Mae o’n digwydd, Dorcas. Bron iawn nad ydi o’n mynd efo’r swydd. Lle felly ydi o.”

Oedd o wedi digwydd iddi hi, i Cadi?

“Naddo, ond dwi’n byw mewn ofn. Dyna pam dwi mor ofalus. Rwyt ti’n ystyried ’mod i braidd yn rhy gaeth i reolau, ond ofn sy gen i, ofn marwol.”

Wyddai Dorcas ddim.

“Mae o’n waeth pan ddaw’r Lord a’i staff i aros, mae

hynny'n wir. Bron nad ydyn nhw'n teimlo fod hawl ganddyn nhw i dreisio staff y castell am ein bod yn llawer is na nhw."

Eglurodd Dorcas nad un o'r staff oedd o, nid yn ôl ei ddillad.

"Un o ffrindiau'r Lord 'ta, dydi o'n gneud fawr o wahaniaeth. Maen nhw i gyd 'run fath. Mae'n rhan o'u helfa tra maen nhw yma ar eu gwyliau ... 'dan ni'n rhan o'u sbort."

Roedd Dorcas eisiau mynd o'r castell, roedd hi eisiau ei mam.

"Mae'n naturiol, wedi'r tro cynta."

Fasa fo 'rioed yn digwydd eto?

"Fel deudais i, mae'n beth cyffredin. Ond paid – byth, byth, eto – hyd yn oed os oes dwsin o ysbrydion yn gweiddi arnat, paid â mynd allan yn y nos – neu rwyt ti'n gofyn amdani."

Ond tase hi mewn peryg eto, beth ddylai ei wneud?

"Allet ti drio gweiddi, codi llais, rhedeg ... am wn i, er eu bod nhw'n cael eu ffordd yn y diwedd, doed a ddelo."

Dywedodd Dorcas iddi weiddi, ond fod y dyn wedi gwthio defnydd i'w cheg.

"Roedd hwnna'n ymosodiad ciaidd, Dorcas. Ac mae dy goban di'n rhacs. Mae gen ti waith pwytho ar honna, siŵr ddigon i ti ... Rŵan paid â throi drosodd ... mae hi bron yn amser codi."

Doedd dim disgwyl iddi godi, doedd bosib? Roedd hi'n dioddef yn arw, roedd hi'n brifo drosti. Roedd hi'n glaf ... doedd ganddi ddim dewis ond bod yn ei gwely.

"Ddim felly mae'r drefn yn gweithio, mae arna i ofn. Mae'n rhaid i ti godi a molchi fel pob bore arall a gneud diwrnod o waith, neu bydd hi ar ben arnat. Aros yna am rŵan a mi helpa i di i folchi – ac mi af i nôl diod o ddŵr i ti."

A chodi fu raid i Dorcas, druan, yn y diwedd. Sut aeth hi drwy'r diwrnod hwnnw, doedd ganddi 'run syniad, ond cafodd Miss Grantham hen ddigon o gyfle i weld bai ynddi.

Pan aethant i nôl barclod lân i fynd i'r eglwys, aeth Dorcas i orwedd ar ei gwely.

"Dydw i ddim eisiau mynd i'r gwasanaeth bore 'ma, go iawn – fedra i ddim."

Doedd gan Cadi fawr o amynedd.

"Dwyt ti byth eisiau mynd i'r gwasanaeth, Dorcas, dwi'n dy nabod bellach."

"Fûm i 'rioed fwy o ddifri ... dydw i ddim eisiau gweld yr ochr yna o'r castell eto."

Gwisgodd Cadi ei ffedog a sythu ei gwallt.

"Coda Dorcas, gwisga dy ffedog a dilyn fi."

Edrychodd Dorcas arni, a chodi ar ei heistedd. Doedd hi ddim wedi gweld ei chyfnither mor benderfynol.

"Wir i ti, Dorcas, dwyt ti'n ddim gwahanol i 'run ferch arall sy wedi'i threisio. Fedri di ddim deud nad wyt yn mynd i'r eglwys na dim arall. Morwyn wyt ti, a does gen ti ddim hawliau, dim iot. Rwyt ti ar eu trugaredd nhw am dy fwyd, dy gysgod a dy gyflog. Rŵan tyrd."

Aeth y ddwy i lawr y grisiau a chyfarfod y lleill oedd yn sefyll yn dawel fesul dau wrth y drws.

"You two don't have to be the last ones *every* day," meddai Miss Grantham yn biwis.

"Sorry m'am," meddai Cadi'n syth, a chymerodd y ddwy eu lle yng nghefn y ciw.

"Forward!" ac ymlaen â nhw. Y funud y camodd Dorcas drwy'r drws, teimlodd ei hun yn mynd yn fyr o wynt. Aethant i fyny'r grisiau, a gallai Dorcas weld y colofnau tal uwch ei phen. Nid yr un lle ydi o, nid yr un lle ... lle cwbl wahanol ... mae bob dim yn iawn, meddai drosodd a throsodd wrthi ei hun. Yn sydyn, gwelodd yr wyneb carreg yn edrych arni o dop y golofn.

Winciodd arni, a syllu arni efo'i dafod allan. Aeth popeth yn dywyll a syrthiodd Dorcas i'r llawr.

Gwasgarodd y morynion a'r gweision, a daeth Miss Grantham i weld beth oedd yn bod.

"Silly girl. Trust this one to cause a stir ... Go ahead!" meddai wrth y gweddill ac aeth pawb yn eu blaenau, pawb ond Cadi.

"You take care of her. Sort it out," meddai Miss Grantham yn siort, ac aeth hithau ar ôl y gweddill i'r gwasanaeth.

Bu un o'r gweision yn glên a mofyn gwydraid o ddŵr iddi, ac yn raddol daeth Dorcas ati ei hun.

"Dwi eisiau mynd o'ma," meddai Dorcas, "plis Cadi, dwi'n crefu arnat."

Yn araf, aethant i'r gegin a chael saib.

"Wyt ti'n well, Dorcas?"

"Ydw, diolch. Ddeudais i na allwn i fynd yno."

"Taset ti heb fynd, mi fyddai Miss Grantham wedi gneud mwy o ffys. Dyna pam ro'n i'n mynnu dy fod yn mynd."

Edrychodd ar ei chyfnither – roedd golwg ddigon gwelw arni.

"Munud es i drwy'r drws, mi ddaeth y cyfan yn ôl i mi ..." meddai Dorcas.

Edrychodd Cadi arni'n bryderus.

"'Chydig oriau ynghynt oedd o wedi digwydd ... roedd o'n bownd o 'ffeithio arnat ti. Ond fedrwn ni ddim deud wrth Miss Grantham ..."

Cododd Dorcas ei phen.

"Pam na allwn ni ddeud? O leia mi fyddai hi'n deall wedyn."

Ambell waith, byddai Cadi'n rhyfeddu pa mor naïf oedd Dorcas. Pletiai ei ffedog.

"Fasat ti'n cael dim cydymdeimlad ganddi."

"Ond fo ymosododd arna i."

"Ac mae ganddo berffaith hawl i neud hynny yng ngolwg y Sguthan. Eu heiddo nhw ydan ni ... Dyna sut maen nhw'n cael eu pleser."

Lapiodd Dorcas ei breichiau am ei hysgwyddau.

"Wn i ddim be fyddai fy rhieni'n ei ddeud. Fasan nhw byth wedi cytuno i mi ddod yma tasen nhw'n gwybod sut gaen ni ein trin."

"Mae o fel tase pawb yn derbyn mai dyna sut mae petha. Mae'n ddrwg gen i, Dorcas."

Mi frifodd y sylweddoliad hwnnw Dorcas yn fwy na dim. Roedd hi wedi cael ei threisio, a doedd neb yn meddwl fod hynny'n beth eithriadol. Rhan o'i swydd ydoedd, dim mwy.

Pennod 18

Newidiodd Dorcas yn sgil yr ymosodiad, doedd dim dwywaith am hynny. Collodd rywbeth yn ei chymeriad, ac anodd oedd dweud beth yn union ydoedd. Falle mai hunan-barch ydoedd, does wybod. Ni wyddai Dorcas ei hun beth ydoedd, a wnaeth hi ddim treulio llawer o amser yn ceisio ei ddadansoddi. Ond roedd yn ffordd giaidd o ganfod mai baw isa'r domen ydoedd hi, a bod gan unrhyw un hawl i'w thrin fel y mynnai. Un peth na wnaeth wedi hynny oedd gadael ei stafell yng nghanol nos, er iddi glywed yr ysbryd yn rheolaidd.

Wrth wrando ar yr ubain crio gefn trymedd nos, gwyddai mai udo dynol oedd y gri, er na wyddai ai dyn neu wraig ydoedd. Nid ci neu gath fyddai'n gwneud sŵn felly. Ac o'r tu mewn i'r castell y deuai, nid rhyw greadur yn chwilota yn y gerddi oedd wrthi. Rhywsut, doedd o ddim yn effeithio ar Cadi gymaint â hynny. Roedd wedi derbyn mai ysbryd digalon oedd yn tramwyo'r castell ganol nos, ac nad oedd modd gwneud dim yn ei gylch. Hefyd, doedd hi ddim yn deffro yn ystod y nos. Unwaith roedd ei phen yn cyffwrdd y clustog, cysgai Cadi'n drwm. Sawl noson y bu Dorcas ar ddihun yn gwrando ar anadlu cyson Cadi, yn eiddigeddus ohoni'n cael y fath afael ar gwsg.

Ysbryd neu beidio, ni allai Dorcas beidio cydymdeimlo wrtho neu wrthi. Meddyliai ei bod yn ferch tua'r un oed â hi. Falle mai *scullery maid* oedd hithau, wedi ei chloi yn ymysgaroedd y castell, ac yn crefu am gymorth.

Doedd neb yn gwrando arni, a gwyddai Dorcas yn burion sut deimlad oedd hwnnw – pawb drosto'i hun oedd hi yn y byd newydd hwn.

Ond roedd rhywbeth arall yn peri anesmwythyd iddi. Wrth i'r wythnosau fynd rhagddynt, deuai'n fwy ymwybodol fod rhywun yn ei gwylio. Wyddai hi ddim ai'r ysbryd oedd hwn, neu rywun o gig a gwaed. Doedd hi ddim eisiau meddwl gormod am y peth.

Ond wrth iddi ddod i lawr y grisiau yn y bore, teimlai'n bendant fod rhywun yn ei gwylio, a byddai'n troi i ganfod – dim. Wrth wneud ei gwaith yn ystod y dydd, roedd yn ymwybodol o bresenoldeb arall, ond ni wyddai ymhle. Wrth fynd i'r gegin, neu wrth basio'r coridor, meddyliai iddi weld pâr o lygaid. Byddai'n camu yn ôl ac yn gweld – dim. Dysgodd fyw efo hyn, gan weddïo na fyddai neb arall yn ymosod arni. Ond roedd yr ofn parhaol hwn wedi rhoi cysgod ar gymeriad oedd mor siriol ers talwm. Tywyllodd ei golwg ar y byd.

Nid rhywbeth dros dro mohono chwaith, a doedd dim dianc rhag y felan hon. Ers talwm, byddai Dorcas yn deffro yn y bore gan edrych ymlaen at y dydd, ac yn dyfalu beth oedd ganddo i'w gynnig. Ers cyrraedd Castell Penrhyn, doedd hi ddim yn gwneud hynny. Gwyddai mai'r un peth oedd yn ei haros ddydd ar ôl dydd. Collodd bywyd ei flas, a daeth i deimlo ei chorff yn drymach ac yn arafach ei symudiad. Sylweddolodd ei bod wedi peidio chwerthin.

Doedd dim ots ganddi bellach ei bod yn gwisgo'r un hen wisg salw bob dydd. Doedd dim ots ganddi sut oedd ei gwallt yn edrych. Os mai trin baw rhywun arall oeddech bob dydd, pa ots sut olwg oedd arnoch? Baw isa'r domen ydoedd, fel y dywedodd Cadi. Daeth diflastod yn rhan annatod o'i chymeriad.

Roedd Tyddyn Pricia wedi mynd yn rhywle pell iawn. Weithiau, roedd yn anodd credu fod y fath le'n bod. Daeth hi i feddwl amdano fel un o'r chwedlau a gafodd yn blentyn. Perthyn i fyd pell yn ôl a wnâi, byd Ers Talwm. Cymeriadau chwedlonol oedd Ifan a Mabli, Lewis a Deio. Doedden nhw ddim yn bod yn y byd newydd hwn.

Rhywun oedd yn poeni'n wirioneddol yn ei chylch oedd Hanna. Pan ddaeth Dorcas i'r castell gyntaf, roedd fel chwa o awyr iach, ac roedd Hanna wrth ei bodd yn ei chwmni. Ond roedd yna ddwyster newydd yn perthyn iddi bellach, a doedd ganddi ddim diddordeb mewn dim. Nid ei bod yn ei beio. Roedd y castell ddigon â llethu'r hapusaf o blant dynion.

"Fyddan nhw ddim yma am byth, 'sti," meddai Hanna un dydd wrth olchi'r llestri.

"Na fyddan, debyg – er 'mod i wedi anghofio sut oedd petha cynt."

"Bydd baich y gwaith yn llai, a bydd llai o densiwn yn ystod prydau."

"Bydd hynny'n braf."

Roedd bwyd gyda'r nos wedi ei osod ar gyfer teulu'r Lord. Edrychodd Dorcas ar y lliwiau, a cheinder y cyfan. Roedd cnau Ffrengig wedi eu gosod efo rhuban wedi ei lapio am bob un, roedd treiffl yn y canol, a'r hufen yn dew ar ei dop, roedd rhyw ddrychiolaeth yn y canol efo dau blât arno, un uwchben y llall, a ffrwythau a siocled a phob dyfais efo siwgr y gellid ei dychmygu arno. Byddai'r hen Dorcas wedi dotio at hyn a blysio, ond rhywun arall oedd hi bellach. Blinodd ar y gormodedd, at y ffaith fod popeth yn sioe. Ei gobaith oedd y bydden nhw'n tagu ar y stwff, yn enwedig un ohonyn nhw.

Gwelodd Hanna hi'n edrych.

"Blysio wyt ti?" gofynnodd.

"Wedi syrffedu ar eu 'nialwch siwgwraidd ydw i, heb sôn am y gwaith golchi wedyn, a'r cyfan yn ludiog – ych a fi. Dwi'n siŵr eu bod yn gneud ati i ddefnyddio gormod o blatiau."

Ambell waith, dyfalai Dorcas sut fyddai pethau wedi i'r Lord fynd. Yna sylweddolodd y byddai'r sawl ai treisiodd yn mynd hefyd. Dylai hynny roi tawelwch meddwl iddi, ond ni châi unrhyw bleser o'r syniad. Pwy bynnag oedd o, byddai'n gadael Castell Penrhyn yn ddi-gosb, a'i gyfrinach efo fo.

Ni chafodd Dorcas y cyfle i ddial arno. Roedd hi eisiau dial yn fwy na dim; roedd hi eisiau gweiddi yn erbyn yr anghyfiawnder. Dychmygodd o'n dychwelyd i'w gartref yn Llundain neu lle bynnag roedd yn byw. Pwy bynnag oedd y treisiwr, rhan o deulu'r Lord neu was iddo, falle y byddai'n trafod efo'i ffrindiau ac yn disgrifio y 'little Welsh angel' y cafodd fanteisio arni. Gwasgodd ei dyrnau mewn casineb.

Wrth weini ar y gweision uwch un dydd, âi Dorcas o gwmpas y bwrdd gyda'r bowlennaid o datws, a phawb yn edrych ymlaen at droi at y bwyd ar eu platiau. Pawb ond un. Dilynodd hwnnw hi o gwmpas y stafell yn hy, ac roedd yn casáu'r teimlad. Pwy bynnag ydoedd, a doedd ei wyneb ddim yn gyfarwydd iddi o gwbl, doedd ganddo ddim hawl i edrych felly arni. Roedd ei chyhyrau'n tynhau a'i gwres yn codi. Collodd reolaeth arni ei hun, a syllodd ar y ddysgl yn disgyn i'r llawr ac yn malu'n siwrwts.

Cofiodd y distawrwydd a ddilynodd. Cododd pennau pawb

ac roedd eu llygaid arni, mewn sioc. Roedd y gŵr a fu'n syllu arni'n gwenu'n haerllug. Daeth y morynion eraill ati i holi beth ddigwyddodd. Mewn dim, roedd Miss Grantham yno.

"Edwards, I might have guessed it was you. Can't keep your grip on a bowl of potatoes."

Daeth ati ac edrych yn ddirmygus arni.

"On your knees, Edwards."

Edrychodd Dorcas arni.

"On – your – knees, I said. Now."

Doedd ganddi ddim dewis ond ufuddhau. Roedd y gweision eraill wrth y bwrdd yn cael difyrrwch mawr, gan gynnwys y merched.

"Pick every piece up, and make sure the floor is clean and tidy. That was an expensive piece of the china. The price will be taken out of your wages. You are not allowed your dinner today. Silly, silly girl."

Wrth frwsio'r darnau brau, sylwodd Dorcas ar y darn efo'r arbais arno, y fraich gyda'r fwyell a'r anifail druan efo dau gorn. Roedd wedi mynd i uniaethu efo'r creadur dychmygol oedd wastad yn aros i'r erfyn ei daro.

Ceisiodd Dorcas ddal ei dagrau nes yr oedd wedi mynd, ond methodd wneud cymaint â hynny hyd yn oed.

Pennod 19

Dim ond y peth cyntaf i falu oedd y ddysgl. Cofiai Dorcas cymaint â hynny. Ac er iddi oddef diwrnod cyfan heb damaid o fwyd ar gownt y strach, roedd y profiad yn werth hynny. Os newidiodd yr ymosodiad ei bywyd, mi wnaeth helynt y ddysgl rywfaint i adfer ei hunan-barch. Sylweddolodd nad oedden nhw'n gallu rheoli ei bywyd yn llwyr. Roedd modd taro'n ôl. Ac er mai peth pitw oedd malu dysgl, roedd yn ffordd dawel (neu swnllyd) o brofi nad oedd y Penrhyn wedi llwyr falu ei hysbryd na'i chymeriad.

Doedd Cadi, wrth gwrs, yn methu dirnad hyn o gwbl. Gyda'r nos, pan gafodd y ddwy gyfle i sgwrsio, bu'n ceisio deall teithi ei meddwl.

"Mae Miss Grantham yn meddwl dy fod yn dechrau colli dy bwyll."

"'Mond dysgl datws oedd hi, neno'r Tad."

"Ond dydi petha felly ddim yn digwydd os ydi rhywun yn cymryd gofal. Wnest ti o'n fwriadol?"

Edrychodd Dorcas drwy'r ffenest fechan. A allai ymddiried ddigon yn Cadi i rannu ei theimladau â hi? Penderfynodd mai gwell oedd peidio.

"Naddo siŵr, pwy fasa'n gneud hynny'n fwriadol? Mi lithrodd, ac mi fethais ei hachub. Mae damweiniau'n digwydd."

"Nid felly mae Miss Grantham yn gweld y peth."

Edrychodd Dorcas yn sydyn ar Cadi. Roedd ei chyfnither yn gwrido.

"Ydi'r g'nawes wedi bod yn siarad â ti?" gofynnodd yn gyhuddgar.

Roedd Cadi'n amlwg yn teimlo'n anghyfforddus.

"Mae'n ceisio darganfod be sy wedi digwydd ... mae'n amlwg yn poeni am dy stad feddyliol."

"Poeni mwy am ei llestri, ddeudwn i."

Ni ddywedodd Cadi ddim.

"A tase hi'n poeni am fy nghyflwr, pam na ches i fwyd am ddiwrnod cyfan? 'Namlwg ei bod yn meddwl 'mod i wedi gollwng y ddysgl yn fwriadol."

Doedd Cadi ddim mymryn callach beth oedd ym meddwl ei chyfnither, ond gwyddai fod Dorcas mewn perygl go iawn o golli ei swydd.

O edrych yn ôl ar y digwyddiad, roedd sŵn llestr yn malu wedi bod yn sŵn hyfryd i'w glywed. Roedd yn sŵn clir, cadarn, fel cloch. Roedd y tincial fel miwsig. Hoffodd Dorcas y sŵn a chafodd wefr ohono. Roedd eisiau ei glywed eto. Doedd o ddim yn amwys fel sŵn y crio yn y nos, roedd yn sŵn pendant. Gwyddai beth ydoedd, doedd dim amwyster – sŵn eiddo Lord Penrhyn yn cael ei chwalu'n chwilfriw.

Trawyd Dorcas yn sydyn nad oedd wedi clywed sŵn canu ers talwm iawn. Bu adeg pan oedd hi ei hun yn gallu canu, a'r gwas hwnnw wedi ei chlywed ac wedi ei blesio gydag ansawdd ei llais. Roedd hynny'n ymddangos yn amser pell, pell yn ôl. Ni fyddai byth yn gallu canu rŵan, hyd yn oed petaent yn ceisio ei gorfodi. Roedd cymaint o ganu yn rhan o'i byd o'r blaen – canu yn yr oedfa, canu yn y ffair, canu gartref, canu efo'r plant, canu gyda'r teulu, canu cyn cysgu. Distawodd yr alawon i gyd. Doedd neb yn canu yng Nghastell Penrhyn. Tybed oedden nhw'n canu'r ochr arall i'r wal? Roedd *pianoforte* yno, a diau fod offerynnau cerdd eraill yno. Siŵr eu bod yn canu wedi cael gormod i yfed. Doedd o 'mond yn naturiol, ond doedd Dorcas erioed wedi ei glywed.

Yn ei chaethiwed yn y stafell, deuai llawer o ddarluniau o'r gorffennol i feddwl Dorcas. Roedd rhai'n arbennig o glir, yn enwedig wedi breuddwyd, ac yn aros efo hi drwy'r dydd. Dro arall, galw heibio ar garlam wnâi'r atgof, a châi drafferth i ddal gafael arno. Weithiau, syniadau digalon oeddent a cheisiai beidio aros gyda rheini'n hir. Ond dod driphlith draphlith a wnaent – yn atgofion llawn synau, arogleuon, blas, a chyffyrddiad.

Pam na fydden nhw'n rhoi tasg iddi ei gwneud tra ei bod hi'n gaeth? Byddai'r amser yn mynd yn fwy cyflym. Pam na fydden nhw'n dod â gwŷdd iddi gael gwneud rhywbeth o werth? Dyna oedd ei chrefft ers talwm, er iddi ei ganfod yn waith digon diflas ar adegau.

Yr hyn a gollai'n fwy na dim oedd bod allan yn yr awyr iach, neu anadlu awyr iach. Doedd y ffenest yn y stafell ddim yn agor, ac roedd hen arogl diflas, stêl drwy'r amser. Roedd cymaint o'i bywyd o'r blaen yn cael ei dreulio yn y caeau, allan yn trin yr anifeiliaid, neu'n cerdded i'r dre. Fe'i cymerodd yn gwbl ganiataol. Doedd pobl ddim i fod i gael eu cadw mewn caethiwed. Doedd hi ddim gwell nag aderyn mewn cawell.

Malu rhagor o bethau oedd ei throsedd. Bu cymaint o ffwdan wedi helynt malu'r ddysgl fel ei bod wedi ei gwahardd rhag trin y llestri, ac ni châi olchi'r llestri na'u sychu, na'u rhoi a'u casglu o'r bwrdd. I'w rhan, daeth mwy a mwy o waith glanhau, oedd yn peri mwy o ofid iddi. Collai gwmni Hanna yn y gegin. Roedd gweithio yn y gegin, er yn galed, yn braf. Roedd digon o fynd a dod ac roedd amser yn mynd yn gynt.

Wrth lanhau llofftydd y morynion un dydd, roedd hi ar ei phen ei hun, ac roedd amser yn llusgo. Roedd hi'n dal i ysu clywed sŵn pethau'n malu. Un diwrnod, wrth lanhau'r potiau piso, sylweddolodd fod modd malu'r rheini. Dyna ddoniol fyddai hynny! 'Run ohonynt yn gallu piso yn y nos gan nad oedd dim i ddal eu dŵr ... Pa mor wydn oedd y potiau, tybed? Tra oedd yn glanhau un ohonynt, gadawodd iddo ddisgyn i'r sinc, ac yn syth, craciodd yn ddau ddarn. Lluchiodd Dorcas rheini ar y llawr, a dyma nhw'n malu'n fwy o ddarnau. Cododd un pot uwch ei phen a gollwng gafael arno – Crac! Dyna'r sŵn pleserus hwnnw unwaith eto. Un arall ... un arall ... roedd wedi meddwl stopio ar ôl pump, ond doedd dim pwynt. Byddai'n cael coblyn o gosb am wneud hyn, felly o gael cosb, doedd waeth iddi falu rhagor. Aeth i'r tair llofft ddiwethaf iddi eu glanhau, a chasglu'r potiau oedd o dan y gwlâu. Doedd dim diben eu cludo i'r sinc, gallai ei malu yno. Y mwyaf hegar roedd hi'n eu taro, y gorau oedd y sŵn. Saethai'r darnau i bob cyfeiriad. Yn stafelloedd y gweision nid oedd ganddi hawl i fynd â'r rhai hynny, ond agorodd ddrws y stafell gyntaf i weld a oedd rhywun wedi eu gwagio.

Na! Roeddent dal yn llawn! Pam trafferthu eu gwagio? Tolltodd eu cynnwys dros y gwely, a lluchio'r potiau yn erbyn y wal. Dyna pryd y clywodd sŵn traed. Sŵn mwy nag un pâr. Ofer oedd cuddio; wedi'r cyfan, roedd hi am iddynt weld pwy gyflawnodd y fath lanast. Mentrodd i'r coridor a gweld dwy forwyn yn rhedeg tuag ati.

"Edwards! What's the matter? What's happening?"

Edrychodd Dorcas i fyw eu llygaid.

"Just tell us, you dimwit ... who did this? Are you all right?"

Trodd y forwyn arall at ei ffrind, a gwelodd Dorcas y sioc ar ei hwyneb.

"There's no one else here, Kathleen ..."

"Has the culprit gone, Edwards? ... Are you all right?"

Yna edrychodd y naill ar y llall, a gwawriodd ar un ohonynt.

"She's done it herself, Kathleen, she's lost it."

Syllodd Kathleen ar wyneb digyffro Dorcas.

"Oh, good Lord, you're right! The Welsh goat has gone off her rocker ... Oh, Lawd ..."

Pennod 20

Roedd y ffwdan ddilynodd y malu potiau pi-pi yn anhygoel. Byddai rhywun wedi meddwl fod Waterloo wedi ailgychwyn. Daeth gweision o rywle a gafael yn Dorcas a'i llusgo i stafell, nes gallai Miss Grantham ei gweld. Roedd honno wedi mynd i ben y craitsh, a chofiai Dorcas sut roedd hi'n methu'n lân â rheoli ei thymer. Roedd ei hwyneb yn wyn fel y galchen, a'r fath gasineb yn ei llygaid. Poerai ei hatgasedd wrth iddi floeddio arni, a phenderfynodd Dorcas gadw'n dawel. Doedd dim pwrpas dweud dim. I ba ddiben?

"Why, Edwards? Why? Why?"

Dyna'r cyfan oedd hi am ei wybod, a doedd gan Dorcas ddim rhithyn o ddiddordeb yn ei chwestiynau. Yr unig gwestiwn perthnasol oedd pam cymerodd gyhyd iddi weithredu. Byddai cost y potiau'n cael ei dynnu o'i chyflog, ond roedd rhaid iddi lanhau'r llanast yn gyntaf. Fe'i gadawyd ar ei phen ei hun i dynnu'r cyfnasau budron, a hi fu'n rhaid eu golchi, efo dwy forwyn yn cadw llygad arni. Sgubodd a chasglu'r darnau o *china* toredig, ond roedd Miss Grantham eisiau ei chosbi'n waeth.

Dyna sut y canfu ei hun yn y stafell ym mherfeddion y castell, efo un ffenest uchel, a dim ond blanced i gysgu arni. Bu yno ers dyddiau, a'r unig gyswllt a gâi oedd rhywun yn galw heibio efo bwyd deirgwaith y dydd. Yr unig ffurf ar doiled oedd bwced yng nghornel y stafell, a hi ei hun oedd yn ei gwagio, dan arolygaeth, bob bore. Câi bowlennaid o ddŵr a lliain i folchi bob bore, ond roedd yn rhaid iddi wneud hynny dan arolygaeth hefyd.

"I'm not supposed to let you do it on your own, 'case you smash the bowl," eglurodd y forwyn un bore.

"I don't care," meddai Dorcas. Roedd wedi arfer molchi yng ngŵydd merched eraill erbyn hynny.

"Why did you do it?" holodd y llall. "That's what we all want to know ..."

Anwybyddodd Dorcas hi.

"Strange one, aren't you? Made a right scene. Ah well, everyone's talking about you – all the staff. They think you're mad, but I don't think you are, are you?"

"I don't care," meddai Dorcas, gan adael y lliain wrth y bowlen ddŵr.

"Isn't it awfully lonely here?" gwnaeth y forwyn un ymgais arall.

"I don't care," oedd yr unig ateb a gafodd.

Llithrodd dyddiau a nosweithiau i'w gilydd heb ddim i wahanu'r naill oddi wrth y llall. Un o'r ychydig fendithion o gael ei chloi yn y modd hwn oedd peidio cael ei gorfodi i fynd i'r gwasanaeth dyddiol. Efallai mai hynny oedd ei nod. Bellach, nid oedd unrhyw gyswllt rhwng ei hanner hi o'r castell a hanner y Lord. Heb orfod mynd i'r gwasanaeth, gallai roi'r ofn mawr o'r rhan yna o'r castell y tu cefn iddi. Doedd hynny ddim yn ei atal rhag treiddio i'w meddwl pan oedd hi'n breuddwydio. Roedd yr atgof o'r noson yn fyw yn ei phen – gallai weld ei lygaid, teimlo'i fysedd brwnt, ac yna deuai'r wynebau carreg ar ben y colofnau'n fyw, gan chwerthin yn atgas ar ei phen. Gwaredai'r breuddwydion hynny.

Beth a ddywedai ei rhieni pe gwyddent fod eu merch yn garcharor? Beth ddywedai pobl Dolgellau? Bydden nhw'n gwaredu ei bod hi, Dorcas, wedi ei thrin yn y fath fodd. Efallai ei bod wedi camymddwyn, ond roedd ei chosbi i'r fath raddau y tu hwnt i bob rheswm. Ac roedd carcharor cyffredin o leiaf yn gwybod hyd ei ddedfryd. Nid oedd gan Dorcas syniad am ba hyd y byddai dan glo.

Ni wyddai ym mha ran o'r castell yr oedd ei stafell, ond un dydd clywodd gân aderyn yn glir. Rhoddodd y sŵn hwnnw gysur di-ben draw iddi. O'i glywed, gallai gredu nad oedd y cyfan ar ben, y byddai'r bennod erchyll yma'n ei hanes yn gorffen. Rhyw ddydd byddai'n gallu edrych drwy ffenest unwaith eto, gallai agor drws a chamu allan. Yr oedd diwedd i hyn, dim ond i'r deryn barhau i ganu.

Arhosodd un sŵn yn ddigyfnewid – sŵn yr enaid dioddefus yn y nos, neu sŵn ysbryd y castell yn crio, os oedd hi i gredu Cadi. Deffroai'n aml i'w glywed, yr wylo tawel i gychwyn, yna'r hyrddio crio a'r dolefain. Roedd hi'n boenus gwrando arno. Daeth yn sŵn a ddaeth yn rhan o brofiad y nos. Methu gwneud dim byd i'w leddfu oedd y peth gwaethaf.

Un noson, deffrodd Dorcas wrth glywed y sŵn cyfarwydd a phenderfynu gwneud rhywbeth. Cododd a mynd at y drws i weld pa mor agos oedd y crio. Na, roedd o'n dal i fod yn sŵn go bell i ffwrdd.

"Pwy sy 'na?" clywodd ei llais yn dweud. "Pam wyt ti'n crio?"

Peidiodd y sŵn.

"Helô ... Dorcas ydw i ... dwi inna'n garcharor yma ... dwed dy enw."

Ailgychwynnodd y sŵn ubain. Oedd hi'n wirion yn siarad efo ysbryd? Ond beth os nad ysbryd ydoedd? Pwy oedd yn mynd i gymryd sylw o'r Llais Tristaf yn y Byd? Pwy bynnag neu beth bynnag ydoedd, doedd o ddim am siarad â hi. Aeth Dorcas yn ôl i orwedd. Deffrowyd hi yr ail dro gan lais uwch ... neu ai lleisiau oeddent? Ar y dechrau, clywai nhw'n llafarganu. Swniai fel dwsinau o bobl, a chododd Dorcas ar ei heistedd. Yna, distawodd y lleisiau a throi'n wylofain. Ochneidio, rhincian dannedd, gweiddi'n wallgof ambell waith, a sylweddolodd Dorcas beth oedd yn digwydd. Lleisiau uffern oedd y rhain, ac roeddent yn galw arni. Byddai'n cael ei chosbi'n frwnt am ei hymddygiad, a rhagargoel o'r hyn a oedd o'i blaen oedd y synau hyn. Merch ddrwg iawn oedd hi, a byddai'n talu am ei phechodau.

Diflannai'r ofnau hyn yn y bore – a'r synau. Byddai Dorcas yn troedio llwybrau ei phlentyndod i gofio amseroedd brafiach. Deuai cameos bach i'w chof, cip ar ambell olygfa oedd wedi serio ar ei meddwl. Rhys yn edrych arni'n glên ar ddiwrnod y ffair, Lewis yn codi ei ben yn Cae Isaf ac yn chwifio'i fraich, cyffyrddiad tyner gan ei mam cyn cysgu. Meddyliai am yr anifeiliaid – tywys Neli'r fuwch o Cae Uchaf, hel wyau'r ieir, Lewis efo'r oen swci. Ceisiai ddwyn wynebau ei ffrindiau i gof – roedden nhw wastad yn giglo neu'n chwerthin. Teimlai'n glên wrth gofio eu coflaid a'u cyfeillgarwch. Roedd cymaint o amser wedi mynd ers iddi blethu gwallt Lisa, a rhoi llygaid y dydd yn ei ganol. Beth na fyddai'n ei roi'n awr am gael orig yn Nhyddyn Pricia, a'i mam wedi gwneud platiad o ginio iddi? Anodd oedd credu fod y byd hwnnw'n mynd yn ei flaen ...

Clywodd Dorcas allwedd yn troi yng nghlo'r drws a llais yn dweud ei henw. Doedd hi ddim wedi clywed hwnnw'n cael ei ynganu ers amser maith.

"Dorcas."

Llais Hanna oedd! Beth yn y byd oedd yn digwydd? Agorodd y drws, a dyna lle safai Hanna efo bowlennaid o uwd.

"Hanna!" rhuthrodd Dorcas ati.

"Dorcas ..." cofleidiodd Hanna hi. "Dorcas, Dorcas annwyl."

O mor braf oedd clywed llais caredig! Teimlodd Dorcas ddagrau'n llifo. Doedd hi ddim wedi cyffwrdd person arall ers amser maith. Edrychodd Hanna arni'n dosturiol.

"O Dorcas fach, edrych arnat – mae golwg ddychrynllyd arnat ... Paid crio, da ti."

Edrychodd Dorcas ar ei ffrind. "Dydw i ddim wedi crio tan rŵan. Mae pawb wedi bod yn ffiaidd efo fi, ond sbia – dwi'n gweld rhywun clên, a dwi'n torri 'nghalon."

Aeth Hanna ar ei phengliniau.

"Tamaid i ti ei fwyta, dydi o fawr, ond dyna maen nhw'n fodlon ei roi ..."

Penliniodd Dorcas, cymryd y bowlen a dechrau bwyta.

Stopiodd yn sydyn, "Sut yn y byd cest ti ddod ag o?"

"Alison oedd i fod i fynd ag o, a ddeudais i y baswn i'n gneud llestri swper i gyd yn ei lle tase hi'n gadael i mi fynd. Ro'n i bron â mynd yn wirion yn poeni amdanat."

Cymerodd Dorcas gegiad arall.

"Ond yli beth sy gen i i ti," ymbalfalodd Hanna ym mhoced ei barclod.

"Dipyn bach o rywbeth melys i ti." Yn ei llaw yr oedd afal, ac roedd llygaid Dorcas fel soseri.

"Diolch i ti, Hanna," a dechreuodd wylo eto.

Rhoddodd Hanna ei braich o amgylch ysgwyddau ei ffrind. "Mae'n warthus eu bod yn dy gosbi fel hyn."

"Oes rhyw sôn pryd ga i ddod o'ma?"

Brathodd Hanna ei gwefus.

"Dim sôn. Chwarae teg i Cadi, mae hi wedi gofyn i Miss Grantham fwy nag unwaith."

Cododd Dorcas ei phen a gofyn yn obeithiol, "A be ddywedodd hi?"

"Deud 'It's none of your business. She deserves her punishment.'"

"Roedd Ada'n deud fod pawb yn siarad amdana i ..."

"Mae hynny'n ddigon gwir. Y si ydi dy fod yn wallgo."

"O'r andros ... Rŵan byddan nhw'n fy nhrin yn fwy od pan ga i fy rhyddhau."

"Mae'n dda dy weld, Dorcas. Dwi wedi poeni cymaint amdanat."

"Fedri di ddeud ym mha ran o'r castell ydw i?"

"Yn y stafell agosaf at y selerydd. Ti ddim yn teimlo hi'n oerach yma? Mae'n drewi'n ddychrynllyd, gyda llaw."

"Rhaid 'mod i wedi cynefino â'r arogl. Sut ddiwrnod ydi hi heddiw?"

"Dipyn o haul, ond mae 'na wynt hefyd ..." meddai Hanna, yn methu deall pam roedd hi'n gofyn.

"Does 'na'm ffenest yma, ar wahân i'r un fechan yn y top, felly dydw i ddim callach."

Gorffennodd Dorcas fwyta'r uwd ac edrychodd Hanna o'i chwmpas.

"Does gen ti ddim matres hyd yn oed ... wyt ti'n cysgu?"

"Dwi'n clywed lleisiau yn y nos ..."

"Pa fath o leisiau?"

"Lleisiau pobl yn dioddef. Mae 'na sŵn rywun yn crio ... yn torri ei galon, a wedyn maen nhw'n griddfan ... Roedd Cadi'n deud mai ysbryd oedd o. Wyt ti wedi'i glywed?"

Edrychodd Hanna arni'n bryderus.

"Wyt ti?" gofynnodd Dorcas eto.

"Do, ac maen nhw'n deud nad ysbryd fan hyn ydi o ... ond rhywbeth arall ..."

"Beth, Hanna?"

"Dwi wedi clywed si mai ysbrydion caethweision ydyn nhw ..."

"Yma? Ond does na'm caethweision yn fan hyn."

"Mae pia'r Lord gannoedd o gaethweision, yn ôl y sôn."

"Ti'n cofio fi'n gweld y llun ar y wal yn y stafell fwyta? Y lluniau o Jamaica ... Doedd y bobl yna ddim i weld yn cael bywyd rhy ddrwg."

Ysgydwodd Hanna ei phen.

"Dwi wedi clywed sôn eu bod nhw'n cael eu trin yn ofnadwy."

Roedd y gofid ar wyneb Hanna'n amlwg.

"Dwi'n cofio rhyw ddyn yn dod i Ddolgellau unwaith ac yn deud eu bod yn cael eu cam-drin."

"Maen nhw'n eu curo a'u chwipio, yn ôl y sôn ... a phetha gwaeth. Dim ond wedi clywed straeon ydw i ... a dydi rhywun ddim eisiau eu credu nhw ..."

"Ond os ydyn nhw yn wir ..."

Edrychodd Hanna i fyw llygad ei ffrind.

"Dyna pam mae arna i ofn wrth eu clywed," meddai

Dorcas. “Mae o’n ei neud o’n fwy real ... Mae gas gen i feddwl am y peth. Ro’n i wedi mynd i feddwl mai lleisiau o uffern oedden nhw ...”

“Mae o’n uffern i gaethweision, mae’n siŵr, tydi?”

Cododd Hanna wedyn a ffarwelio. Doedd fiw iddi aros yn rhy hir.

“Gobeithio cei ddod allan yn go fuan.”

“Diolch, Hanna.”

Bu Dorcas yn meddwl yn hir wedyn am yr hyn ddywedodd Hanna, a’r hyn ddywedodd y dyn yn y farchnad yn Nolgellau. Roedd un frawddeg wedi aros yn ei chof: “Yr unig wahaniaeth rhyngom yw lliw y croen, a dydi hynny ddim yn rheswm i’w trin fel anifeiliaid.”

Pan glywodd y sŵn drachefn y noson honno, roedd yn llawer gwaeth. Y munud y gwyddoch fod rhywbeth yn wir, mae’n codi llawer mwy o ofn arnoch.

Pennod 21

Am ba hyd yr oeddent am ei chadw yno? I ba ddiben? Doedd Dorcas ddim yn deall. Gwnaeth gais drwy'r morynion i gael siarad efo Miss Grantham, ond ddaeth dim o hynny. Wedi cael ei chosb, meddyliodd Dorcas mai'r unig beth y gallen nhw ei wneud iddi oedd ei diswyddo. Y gobaith y gwnaent hynny oedd yr unig beth a'i cadwai'n gall. Ysai am ddydd ei rhyddid. Dim ond iddynt ei chwydu o system y castell, ei lluchio drwy'r drws, a byddai'n rhydd! Petai'n rhaid iddi gerdded bob cam i Ddolgellau'n droednoeth, fyddai dim gwahaniaeth ganddi. Byddai pob cam yn dod â hi'n nes at nefoedd Tyddyn Pricia.

Bu adeg y poenai am golli ei chyflog, a'r trafferth a barai hynny i'w theulu, ond doedd dim ots ganddi bellach. O wybod beth ddigwyddodd iddi, byddai ei mam yn maddau iddi'n syth. Dianc o'r Penrhyn, dyna'r unig beth oedd yn cyfri. Dianc o grafangau'r teulu erchyll yma, y diafol ar ffurf Miss Grantham, a holl grandrwydd ffug y lle. Dianc – adref – at gariad ei theulu a phobl Dolgellau, cael siarad Cymraeg, mynd i'r capel, gweld ei ffrindiau, canu, dawnsio, byw! Roedd y cyfan oedd o'i blaen yn rhy fendigedig i freuddwydio amdano. Ac eto – doedd o ddim yn amhosibl.

Yn ddiweddarach y bore hwnnw, daeth Ada i ddatgloi'r drws, ond nid oedd ganddi'r bowlen ddŵr i ymolchi. Gosododd yr uwd ar y llawr a sefyll yn fud tra oedd Dorcas yn ei fwyta.

"Am I being allowed to wash this morning?" gofynnodd Dorcas, wedi bwyta.

"Miss Grantham says you're to have a bath."

Synnwyd Dorcas gan hyn. Dyna foethusrwydd yn wir! Bu wythnosau ers iddi gael bath. Be ar wyneb y ddaear oedd i gyfrif am hynny?

"Why am I being had a bath?"

"Dunno."

Doedd dim rhithyn o ots gan Ada, roedd hynny'n amlwg. Safai yno'n ddiamynedd.

"Finished?" oedd yr unig beth a ddywedodd. "Someone will be back later," a chymerodd y bowlen wag ac i ffwrdd â hi.

O gael bath, câi Dorcas gyfle i olchi ei gwallt, a byddai hynny'n fendith. Am ddyddiau, roedd ei phen wedi bod yn cosi, ac roedd yn casáu ei gwallt yn seimllyd. Byddai cael ei olchi'n fwynhad pur. Byddai'n teimlo'n llawer gwell wedi cael trochi ei chorff mewn dŵr. Mwy na thebyg, byddai rhywun yno'n cadw llygad arni, ond byddai'n eu hanwybyddu. Roedd wedi perffeithio'r dechneg o ddianc i'w byd bach ei hun.

Ond y cwestiwn mawr oedd pam? Pam oedd heddiw yn eithriad? Ei hofn mawr oedd y byddai ei misglwyf yn cychwyn tra oedd dan yr amgylchiadau hyn – roedd wedi colli cyfrif ar ddyddiau'r mis. Byddai hynny'n erchyll, os penderfynai Miss Grantham na châi gadachau. Ond hyd yma, bu'n ffodus. Ffodus mewn un ffordd. Ysai yn ei hisymwybod am weld ei misglwyf yn digwydd, ond nid oedd yn gadael i'w meddwl ystyried y posibilrwydd arall ... Roedd yn rhy arswydus i feddwl amdano. Caeodd y drws yn glep ar hynny.

Pam, Pam? Dyna'r cyfan y gallai feddwl amdano. Tybed

fyddai Hanna'n llwyddo i ddod ati eto? Go brin os oedd a wnelo Miss Grantham rywbeth â'r trefniant. Yna, fe'i trawodd. Falle ei bod yn cael gadael y castell ... Falle ei bod yn colli ei swydd! Falle mai paratoad ar gyfer gadael oedd y bath! Roedd hyn yn ddigon i'w chynhyrfu'n llwyr. Adref, adref ... dyna'r hyn oedd yn llenwi ei meddwl.

Pan agorodd y drws y tro wedyn, nid Hanna ddaeth, nid Ada chwaith, ond Alison.

"Your bath awaits you," meddai Alison yn wamal, a rhoi cyrtsi. "Why are you 'aving a bath? That's what I want to know. Who 'ave you bribed? Cor, I've had to fill it, and it took me 'alf an hour. Who's 'aving the bath I asked, and they told me 'Edwards'. Cor, it doesn't 'alf stinks 'ere. 'Aven't you emptied that bucket yet?"

Edrychodd Dorcas arni efo dirmyg.

"It's difficult to empty if I can't open the door," atebodd.

"Well, empty it now before you 'ave your bath. There's no point coming back to this stench if you're clean. The other maid should 'ave reminded you."

Cas dasg Dorcas oedd mynd i'r cefn i wagio'r bwced. Ond o leiaf mai dim ond ei baw ei hun oedd yn rhaid iddi ei waredu. Roedd hynny'n dipyn gwell na gwagio ugain o botiau pobl eraill. Tybed oedden nhw wedi cael potiau newydd bellach, dyfalodd.

Roedd Alison yn dal i sefyll wrth y drws.

"Ready? You're to follow me now."

Aeth y ddwy i fyny'r grisiau ac i ben pella'r coridor gwaelod. Synnodd Dorcas o weld Miss Grantham yno'n aros amdani. Yn ei breichiau, roedd set o ddillad.

"I'll be supervising your bath, Edwards, and then you should put these on."

Edrychodd Dorcas i fyw ei llygad. Penderfynodd nad oedd am dorri gair efo hi.

"You understand that now, Edwards? ... Still a mute goat? You may leave us now, Alison ... Come back in quarter of an hour to empty it."

Synnwyd Alison.

"But shouldn't she empty 'er own water?" gofynnodd. "I'll be damned if I have to wait on this one!"

Gwylltiodd Grantham. "Excuse me, Alison. Have you forgotten who you're talking with? Do as I say, or you'll be punished as well."

Ac i ffwrdd ag Alison.

Pan dynnodd Dorcas ei dillad yng ngŵydd Miss Grantham, diflannodd y pleser o gael bath yn syth. Trodd pleser yn ddiflastod, ac yn gywilydd. Dŵr digon llugoer ydoedd, a darn bach o sebon. Teimlai Dorcas yn chwithig yn gwneud popeth ac yn hynod ymwybodol o'i hunan. Ni thorrodd Miss Grantham yr un gair, dim ond sefyll yno fel mudan. Doedd dim synnwyr yn y peth. Dim ond wedi hanner ymolchi ydoedd pan ddywedodd Miss Grantham,

"Time's up. You should come out now."

Ufuddhau'n dawel oedd yr unig beth allai Dorcas ei wneud.

Edrychodd ar y dillad ar y gadair. Roedd y rhain o wneuthuriad tipyn gwell na'i dillad arferol.

Pam oedd hi'n cael dillad crand? Oedd y Penrhyn mor ffroenuchel fel eu bod yn gadael i forynion adael y castell mewn dillad moethus? Doedd dim byd yn gwneud synnwyr. Roedd yn rhaid iddi gael gofyn.

"Am I being sent home, m'am?"

Nid anghofiodd yr olwg ar wyneb Miss Grantham, golwg o ddryswch llwyr.

"Home?"

"I'm no longer employed here, no? ... You do not want my service no more."

Syllodd Miss Grantham arni am hir.

"You're no longer employed here, that's correct, Edwards. We don't pay mountain goats to make such a mess in Penrhyn ... But we can do with your service for a while ... Not in the kitchen maybe, you're too much of a liability."

Cafodd Dorcas ddigon ar y gêm.

"Miss Grantham, I don't work for you anymore, is it my right to go home?"

Chwarddodd Miss Grantham.

"You have rights, do you? After the way you've behaved? Don't make me laugh. You have no rights, and you're paying for your sins. I'm sending you to hell, Edwards, and you won't forget it!"

Dychrynodd Dorcas gymaint fel na allai lyncu ei phoer. Tynhaodd ei gwddf, a theimlai fel chwydu. Felly doedd hi ddim yn cael ei rhyddhau. Roedd hi'n dal yn gaeth dan awdurdod y castell.

"Follow me."

Fel oen i'r lladdfa, cerddodd Dorcas y tu ôl i Miss Grantham i fyny'r grisiau a thrwy'r ddôr ddieflig o adran y gweision. Yn syth, teimlai Dorcas yn annifyr. Roedd holl awyrgylch y castell yn atgas ganddi'n awr. Dringodd set arall o risiau, ac o amgylch y galeri i ddrws mewn coridor na fu yno o'r blaen. Curodd Miss Grantham y drws, ac atebodd llais dyn. Edrychodd Miss Grantham ar Dorcas yn ddirmygus.

"You're of no worth to me anymore, but someone can use you," meddai gan agor y drws.

Safodd Dorcas yno, a wynebu ei hofn mwyaf. Roedd y dyn nad oedd am ei weld byth eto yno o'i blaen.

"My lovely Welsh angel," meddai. "You've returned."

Pennod 22

Clywodd Dorcas sŵn y drws tu ôl iddi'n cau'n glep, ac roedd fel sŵn caead arch yn cau. Teimlodd ei hun yn fyr o anadl. Rhythodd ar y dyn, ar yr wyneb y gweddïodd na fyddai byth yn ei weld eto. Ni allai gredu ei bod yn y fath sefyllfa. Roedd y dyn wrthi'n bwyta gweddillion ei ginio. Syllodd arno'n rhofio'r tameidiau olaf o gig i'w geg. Roedd y grefi'n stremp ar ei wefusau, ac estynnodd yn y napcyn a sychu ei geg.

"Delightful ... what a lovely surprise. I wondered what was there for dessert, and you appeared. How magical is that?" a gwenodd. "Why are you looking so scared? ... You're so innocent! ... Come, here."

Roedd yn rhaid iddi chwarae'r gêm yn ofalus. Doedd hi ddim am fynd yn agos ato. Ym mhen arall y stafell, roedd gwely moethus. Pam bod y dyn yn bwyta ei fwyd yn ei stafell wely? Sylwodd fod y cwrlid ar y gwely yn un o felfed coch a rhosynnau aur arno.

"Come and sit on my lap."

Beth oedd 'lap'? Gwelodd fod stôl ger y bwrdd ac aeth i eistedd ar honno. Roedd yn wynebu'r dyn.

"You'd rather sit there? Fine by me. Have you had your meal? I don't have anything left ... Lamb it was ... Fine lamb, with potatoes and peas. Do you do any of the cooking? Answer me ... What was your name again?"

"Dorcas."

"Yes ... and you're Welsh, aren't you? Dor-kas."

Roedd hi'n casáu ei glywed yn ynganu ei henw, fel petai'n ei lygru. Roedd hi eisiau iddo boeri'r gair allan a'i roi yn ôl iddi.

Gostyngodd Dorcas ei llygaid ac edrych ar yr hyn oedd ar y bwrdd. Syllodd ar y plât o *china* gorau, a'r rhimyn aur a choch o'i gwmpas. Sylwodd ar arfbais y fraich a'r morthwyl. Roedd yr esgyrn yn difetha gwynder y plât, a'r grefi yn ei staenio. Syllodd ar y gwydryn gwin, y gwpan goffi, y bowlen siwgr, a'r llwyau arian. Syllodd ar y gyllell a fforc fudr. Dyma'r pethau y bu'n eu sgleinio mor ddyfal yn y gegin.

"You look so sad, Dorkas ... what can I give you? Would you like wine?"

Ysgydwodd Dorcas ei phen, heb edrych arno.

"Let me drink my coffee before it gets cold. Look here, would you like a sugar cube ... Here, take one, Dorkas, will you?"

Roedd o'n dal y sgwaryn siwgr yn ei law. Trodd Dorcas i edrych ar y drws. Sut yn y byd oedd hi am ddianc?

"Open your mouth."

Edrychodd Dorcas i fyw llygad y dyn efo'r holl atgasedd y gallai ei grynhoi. Pwy oedd hwn i'w gorchymyn?

"Open your lovely little mouth ..."

Roedd bygythiad yn y gorchymyn. Cymerodd Dorcas y siwgr a'i roi yn ei cheg.

"There you are, isn't that sweet? Do you like it?"

Doedd unman i ddianc iddo.

"Have you lost your tongue?" gofynnodd, gan godi o'i sedd. Roedd o'n anniddigio.

"No, sir."

Rhoddodd ei law ar ei hysgwydd.

"There's no need to 'sir' me ..." Mwythodd ei gwddf gyda'i wefusau, a gwridodd Dorcas.

"You're still shy, aren't you? ... Didn't you enjoy our last meeting?"

Gyda'i fys, dilynodd amlinelliad ei hwyneb, ac oedi uwchben ei choler.

"No sir," meddai Dorcas mor bendant ag y gallai, a rhoddodd ei llaw i'w atal.

"No need to be coy with me," a llyfodd ei bys.

Teimlai Dorcas fel pry yng ngwe pry copyn, a honno'n cau amdani'n gynt ac yn gynt.

"Or is that how you drive men insane? Look at me." Gyda'i fys dan ei gên, cododd ei phen.

"What is it, Dorkas? How can I make you happy?"

"I want to go."

"You've been a naughty girl, haven't you? That's what I've heard ..." meddai, gan barhau i'w byseddu. "You've been locked up, all on your own."

Roedd hwn yn deall y sgôr yn iawn.

"And I didn't like the idea of my little Welsh angel all on her own, so I said 'Let her go'. And they have ... I'm your friend ... I'm company ..."

"Then let me go." Edrychodd arno gan erfyn, "Please let me go through the door."

Oedd diben o gwbl ymresymu ag o? Edrychodd yn drist ac ysgwyd ei ben.

"I can't. They'll lock you up again. Stay and play with me. Sit on my knee ..."

Eisteddodd ar y gadair gan orfodi Dorcas i eistedd ar ei lin. Roedd ei law yn awr yn mwytho ei chefn.

"Let me have some more wine."

Edrychodd Dorcas arno'n ymestyn am y gwydryn gwin, ac fe'i gwyliodd yn ei ddrachtio. Roedd o mor bles efo fo'i hun, mewn llwyr reolaeth o'r sefyllfa. Syllodd Dorcas eto ar weddillion y bwyd, ar y gyllell a'r fforc, a gweddillion y pryd yn dal yn y grefi. Gwyddai nad oedd ganddi siawns o ddianc.

Trodd ei wyneb ati.

"Kiss me, Dorkas," a mwythodd ei gwallt.

Roedd y dyn yn hanner meddw. Roedd ei dafod yn tyrchu'n ddyfnach i'w cheg, ac roedd Dorcas eisiau cyfogi. Gwasgodd hi'n dynnach ato ac ochneidio. Trodd ei gorff nes na allai Dorcas wingo'n rhydd, ac roedden nhw'n araf lithro oddi ar y gadair. Roedd ymhell i ffwrdd ar ymchwydd tonnau ei bleser.

Estynnodd llaw Dorcas am y gyllell oedd ar y plât a'i chodi. Gan afael yn dynn yn ei gwaredigaeth, plannodd hi'n ddwfn yng ngwddf y dyn. Tagodd hwnnw, rhegi, a disgyn yn swp ar y llawr.

Gan ryfeddu ei bod wedi gallu ei atal, ceisiodd Dorcas symud. Roedd corff y dyn fel petai'n rhoi ambell naid, ond doedd ganddo ddim rheolaeth ar ei gyhyrau. Roedd gwaed yn dod o'i geg, ac roedd ei lygaid yn llonydd. Doedd hi erioed wedi ...? Oedd, doedd dim dwywaith amdani ... roedd o wedi cymryd ei anadl olaf.

Safodd ar ei thraed a syllu ar y corff ar y llawr. Beth yn y byd mawr oedd hi wedi ei wneud? Unwaith yn rhagor, câi drafferth i anadlu. Doedd bosib ...?

Ac eto, doedd dim bygythiad. Ni allai'r dyn hwn ei threisio mwyach – hi na'r un ferch arall byth bythoedd. Roedd hi'n rhydd ...

Yn raddol, ciliodd y gorfoledd ei bod wedi atal yr ymosodiad, a fferrodd yn y fan a'r lle. Os oedd hi mewn trwbwl o'r blaen, roedd mewn twll llawer gwaeth yn awr. Doedd wiw iddi redeg drwy'r drws ... byddent yn ei dal yn syth ... doedd dim diben dweud mai damwain ydoedd, fe'i cymrent ymaith a'i lladd. Wrth i seithugrwydd ei sefyllfa wawrio arni, gwnaeth yr unig beth posibl.

Rhuthrodd at y ffenest, agorodd hi, a neidio drwyddi.

A dyna'r olaf a glywn am Dorcas.

Wyddom ni ddim beth ddigwyddodd iddi. Diflannodd, a does neb wedi cofnodi ei hynt.

Yno y mae,

yn hofran

rhwng

deufyd,

a'r cwbl allwn ni ei wneud yw dyfalu ei thynged.

A ddrylliwyd ei chorff

neu a oroesodd y cwymp o'r ffenest?

Oes ots?

Un forwyn gyffredin ydoedd. O oroesi a'i chosbi, ni fyddai ei thynged fawr gwell.

Mewn cofnodion plwyf, does yr un cyfeiriad at Dorcas Edwards. Nid oes hanes marwolaeth sydyn, dim cofnod o gwest. Os bu fyw, does dim sôn am gyhuddiad yn ei herbyn. Dim.

Aeth ar goll. Mae'n anweledig yn ein llyfrau hanes am nad oes gan lyfrau o'r fath ddiddordeb mewn morwyn fach fel hon.

Ond petai wedi goroesi, byddai gan Dorcas Edwards ddiddordeb yn y dyddiadur sy'n dilyn ...

STORI EBONI

Rhedeg mae hi nerth ei choesau, rhedeg heb wybod i ble, ond fiw iddi stopio. Mae ei chamau'n cyflymu, mae'n hyrddio ei chorff yn ei flaen ac yn teimlo'r rhyddid. Waeth i ble yr aiff, dim ond ei bod yn mynd mor bell ag y medr oddi wrth yr uffern wallgof yna.

Dos, Eboni, dos. Mae'n gwybod ei fod o'n beth dychrynllyd o beryglus i'w wneud, ond does dim ots ganddi bellach. Dim ots os bydd ei chorff yn malu'n filoedd o ddarnau mân ac yn cael ei chwythu i'r pedwar gwynt. Dim ots beth sy'n digwydd yn awr, achos mae popeth wedi mynd. Mae'r mymryn gafael oedd ganddi ar hapusrwydd wedi llithro drwy ei bysedd. Collodd y cyfan. Yn droednoeth, mae ei chorff gosgeiddig pymtheg oed yn symud yn rhythmig. Drwy gaeau'r planhigfeydd, mae ei chamau'n drybowndian yn erbyn y ddaear galed. Gall deimlo'r gwaed yn curo yn ei phen, ac mae arogl y mwg yn yr awyr yn gwneud anadlu'n anodd. Ond dos, Eboni, dos – rhed am dy fywyd.

Ymhen dipyn, dim ond olion ei thraed sydd ar ôl yn y pridd. Diosg y cyfan, diflanna.

Dyna'r peth gorau all ddigwydd, ynghyd â'i chof, achos po leiaf mae Eboni yn ei gofio am ei bywyd, gorau oll.

NID DYDDIADUR

Nid dyddiadur go iawn fydd hwn. Fedar o ddim bod gan nad ydw i'n gallu sgwennu. A does gen i ddim llyfr nac inc, felly dydi o'n ddim byd tebyg i ddyddiadur. Cofnod o'm meddyliau a'm teimladau fydd o, a tase gen i bapur ac inc, a taswn i'n gallu sgwennu, rhywbeth tebyg i hwn fasa fo'n swnio.

Falle na fydd o'n ddim mwy na chwmni, fatha sibrwd yng nghlust ffrind. Falle mai dyna dwi'n ei chwenychu yn fwy na dim arall – ffrind yr un oed â mi, i rannu efo hi.

Gallaf rannu fy mywyd yn dair rhan – y cychwyn, efo Hagar, ac wedi Hagar. Ac er nad ydw i ond pymtheg oed, dwi'n teimlo 'mod i eisioes wedi byw fy mywyd deirgwaith drosodd. Dwi'n gobeithio y bydd yna fywyd wedi'r un yma. Er 'mod i'n gwybod mai hwn fydd diwedd fy mywyd (fel y bu i Hagar), ac mai nhw fydd yn trechu yn y pen draw, dwi'n lecio meddwl fod yna bennod arall, ac y gallaf edrych yn ôl ar y cyfnod hwn a diolch i'r duwiau 'mod i wedi goroesi.

ALLAN YN Y CAEAU

Allan yn y caeau yn torri'r cansenni oedden ni heddiw eto, ac mae'r gwres yn enbyd o boeth. Dwi'n meddwl y gallwn oddef y gwres tasen ni'n cael ein parchu, ond mae gweld pobl yn cael eu cam-drin yn ddyddiol yn straen na allaf ei oddef. Roedd gweld Sancho yn cael ei fflangellu bore 'ma yn ein gŵydd – am wneud dim – yn brifo.

Stopiodd pawb i edrych, achos mae bob trawiad o'r fflangell yn sarhad arnom oll.

A rhaid bod y Gwynddyn wedi sylwi, achos mi wylltiodd a fflangellu Sancho'n waeth. Yn niffyg unrhyw brotest arall, cwbl ddaru ni oedd syllu ar y Gwynddyn a rhaid bod edrychiad pob un ohonom fel saethau yn ei fynwes, achos gwaeddodd arnom:

"Pam rydych chi'n rhythu fel 'na? Ymlaen â'ch gwaith!"

Ond ni symudodd yr un ohonom 'run gewyn, dim ond sefyll yn stond, yn dal i syllu ac yn dweud dim. Beth arall allen ni ei wneud? Roedd y Gwynddyn fel tase fo'n trio cilio oddi wrthym, fel petai'n teimlo gwres ein cynddaredd. Daliodd ati i chwipio Sancho nes bod hwnnw yn swp anymwybodol gwaedlyd ar y llawr.

"Digon," meddai Roger, yr hynaf yn ein mysg. "Dyna ddigon."

"Beth ddywedaist ti?" meddai'r Gwynddyn, wedi dychryn fod rhywun wedi meiddio siarad.

"Digon," medda ni i gyd mewn unsain.

Camodd y Gwynddyn at Roger.

"Digon ... digon ... digon," mwmiodd pawb, fel petaem yn llafarganu siant.

Syllodd Roger yn ddewr i fyw llygad y Gwynddyn, ac yn sydyn, daeth y chwip i lawr arno yntau, a'i daro ar ei wyneb nes y disgynnodd i'r llawr.

Tawodd pawb ac edrychodd y Gwynddyn arnom yn fygythiol.

"Fi ydi'r unig un gaiff ddweud 'Digon' yn y lle yma – deall?" a cherddodd ymaith.

Fuo 'na ddim smic rhyngom wedyn. Codwyd Roger ar ein hysgwyddau, a llusgwyd corff Sancho druan ymaith fel sach o datws.

+\/IIS-I

Pethau felly mae rhywun yn ei roi ar dop dyddiadur. Mae'r Dyn Gwyn yn rhannu ei amser yn fisoedd a blynyddoedd, ac yn gallu rhoi rhif ar bob un. Mae'n hoffi rhoi trefn ar bethau, eu rhifo a rhannu pethau'n gyfnodau twt. Dwi'n methu dirnad hynny.

Wedi iddo rannu'r flwyddyn yn wahanol gyfnodau, mae'n gwneud 'run fath efo'r dyddiau. Mae gan bob rhan o'r dydd rif, ac mae'n berchen ar beiriant yn ei boced i ddynodi'r union rif. Peth rhyfedd ydi hyn. Am wn i ei fod yn deillio o'r syniad mai fo bia ei amser. Fel mae ganddo'r hamdden i rannu ei amser, mae ganddo'r rhyddid i wneud yr hyn a fyn ag o.

Fasa'r peiriant mesur amser yn dda i ddim yn fy mhoced i (tase gen i boced). Pethau i roi eiddo ynddyn nhw yw pocedi, felly does dim yn ein dillad ni. Ond os mai'r un peth wnewch chi bob awr o'r dydd, bob dydd o'r flwyddyn, i be ddiawch mae eisiau dyddiau ac wythnosau a blynyddoedd?

Dim ond un llinyn maith ydi amser, heb ddiwedd iddo.

YN Y WLAD CYN COF

Peth arall mae'r Dyn Gwyn yn ei wneud ydi rhannu llefydd. Mae o'n gwneud llun o'r tiroedd sydd ganddo, yn ei osod mewn sgwariau ar ddarnau o bapur, ac mae hynny'n peri iddo feddwl mai fo pia nhw. Rhan o'r obsesiwn yw hyn efo rheoli eiddo. Tase rhywun yn gofyn i mi beth yw bai mwyaf y Dyn Gwyn – a does dim prinder dewis – mi ddeudwn i mai'r modd mae o'n trio perchnogi bob dim ydyw. Boed o'n diroedd, neu ddillad, amser neu arian, tai, da byw neu bobl, rhaid iddo fod yn berchen y cyfan. "Fi pia fo" yw ei gytgan, fel babi mewn crud, a'i "dwi eisiau fo" dragwyddol.

Bai mwya'r ffordd hon o feddwl ydi nad oes digon i'w gael. Waeth beth mae o'n llwyddo i'w berchnogi, mae o eisiau mwy. Mae'r ysfa hon i gael mwy fel ci yn piso ar ei batsh – mae o eisiau dangos i'w gyfaill fod ganddo fwy nag o. Felly dydi o'n cyflawni fawr ddim yn y pen draw. "Fi pia hwn" ydi swm a sylwedd ei fywyd.

Dim felly oedd ein ffordd ni yn y Wlad Cyn Cof. Y gymuned oedd pia'r tir, a hynny dim ond dros dro. Roedd y tir yno erioed, a'r daioni a ddeuai ohono. Roedd yno cyn ein geni, a byddai yno'n hir wedi inni ymadael. Peth parhaol yw tir, pethau dros dro yw pobl. Yn y cyfamser, ein cyfrifoldeb ni yw meithrin y tir a'i warchod.

Tase unrhyw un ohonom ni wedi codi ar ei draed a mynnu mai fo neu hi oedd 'bia'r tir', byddem wedi chwerthin yn harti a mynnu ei fod o'i gof. Pa fod meidrol fedr berchnogi tir? Dydi o ddim yn rhywbeth y gallwch ei roi ar gefn asyn a mynd ag o ymaith. Rhoi mae tir, rhoi o'i faeth inni drigolion Daear. Felly byddai Taid yn ei ddweud. Pan ddaw ein rhawd i ben, rhoddir ein gweddillion yn ôl i'r tir. Beth yw'r tir ond daear sy'n gwarchod ysbryd ein cyndeidiau? Pwy pia fo, wir – mae'n syniad hurt.

Rhyfedd 'mod i'n cofio geiriau Taid. Dwi'n cofio ei ogla fo, oglau ei gnawd a'i anadl, a'r cetyn y byddai'n smocio. Dwi'n cofio ei groen rhychiog a'r olwg bell i ffwrdd yn ei lygaid. Dwi'n mentro ato ar hyd y llwybr cerrig wrth y tân, ac yn swatio ymysg y gwragedd i wrando ar y chwedlau cyfarwydd. Dwi'n colli'r teimlad yna fwy na dim, colli swatio, colli'r teimlad o berthyn, y teimlad saff, saff nad ydw i wedi ei deimlo ers cyhyd.

Wnes i ddim dychmygu'r adeg honno y deuai'r cyfan i ben mor ddisymwth. Pan edrychwn ar y sêr, gan roi enwau iddynt, wnes i ddim meddwl y byddai fy myd yn cael ei droi a'i ben i lawr, ac y byddai'r sêr yn disgyn o'r ffurfafen a malu'n dipiau mân.

Ydyn nhw'n dal yno, tybed, a fi sydd wedi disgyn drwy dwll yn y ddaear, fi a Hagar? Ydyn nhw'n teimlo ein colli? Ydyn nhw'n cofio amdanom? Ydyn nhw'n trio ein canfod?

Y gwahaniaeth mawr yn y Wlad Cyn Cof oedd y cariad – roedd rhywun yn ymwybodol ohono drwy'r amser. Nid Dad a Mam a Taid a Nague yn unig, ond pawb yn y pentref, yr un llwyth oedden ni. Yn fan hyn, does neb yn perthyn i'w gilydd, mae pawb o rywle gwahanol. Ond gwyddom yn bendant fod yna Ni a Nhw. Beth bynnag wnawn ni, mae 'na Ni a Nhw, a dim cariad.

Leciwn i gamu'n ôl i'r Wlad Cyn Cof. Mae o fel hiraethu am y groth fel lle diogel, cysurus, saff. Falle 'mod i'n gor-ramantu'r lle. Doedd dim digon o fwyd yn fan'no chwaith yn aml, ond roedd pawb yn helpu ei gilydd, roedd pawb ar yr un ochr. Doedd 'na ddim Ni a Nhw. Yma, does 'na ddim byd ond gormes a llethu a thor calon. Mae bryntni felly'n magu dicter, ac mae dicter yn lledu drwy bobl fel haint.

Sut y bu i bethau newid mor ddirybudd? Beth aeth o chwith? Dwi'n holi fy hun yn gyson ond does dim ateb i'w gael. Dydi'r meddwl yn cynnig dim ond twll du, llawn triog.

HAGAR

Fy chwaer oedd Hagar, a bu hi efo mi drwy'r cwbl. Rhaid nad oeddwn yn hen iawn, rhyw naw haf ar y mwyaf, a Hagar ychydig yn hŷn na mi. Wn i ddim lle roedd Dad na Mam ar y pryd, ond daeth y Nhw rhyw noson a'n llusgo o'n gwlâu a'n gorfodi i gerdded.

Falle y byddent wedi 'ngadael i, achos Hagar oedden nhw ei heisiau go iawn. Hen beth sgyrnog denau oeddwn i, yn nadu. Ond roedd Hagar yn hardd a gosgeiddig, ac roedd pawb eisiau bod yn ffrind iddi. Dyna'r cof sydd gen i - ohonof fy hun yn gafael yn dynn, dynn yn ei ffrog, un felen llachar efo cylchoedd du ... dwi'n cofio'r cyffyrddiad a'r arogl hyd heddiw. Cyn belled â 'mod i'n gwrthod gollwng gafael, byddwn yn saff.

Ond y noson honno, roedd Hagar ymhell o fod yn saff, a dyma nhw'n gosod haearn ar ein garddyrnau, a chadwyn yn sownd wrth yr haearn, a buom yn cerdded am ddyddiau.

Ro'n i'n meddwl 'mod i'n gyfarwydd efo bod yn llwglyd, ond dyna'r tro cyntaf i mi brofi newyn gwirioneddol, newyn oedd yn fy ngwneud mor wan nes na allwn roi un droed o flaen y llall. Hagar fyddai'n fy helpu i fynd ymlaen, a byddai wedi fy nghario tase modd gwneud hynny.

Be wnaeth hi oedd adrodd straeon i mi, a chadwodd hynny fi i fynd. Yn y diwedd, daeth y cerdded i ben, a chawsom ein rhoi mewn carchar am ddyddiau. Ar y pryd, roedden ni'n meddwl mai dyna oedd y peth gwaethaf allai ddigwydd inni. Ond doedd hynny ddim yn wir. O'r carchar, cawsom ein cymryd ar fwrdd Yr Hunllef. Yn gyndyn yr aethom i ymysgaroedd Yr Hunllef, achos gwyddai pawb na fyddem byth yn dod yn ôl. Unwaith mae'r Hunllef yn eich llarpio, mae hi ar ben arnoch.

Doedd Hagar ddim am i mi wrando ar straeon pobl eraill. Wydden nhw ddim byd, ac roedd yn rhaid i mi gadw gafael ar y perl bach tu mewn i mi oedd yn cynnig gobaith. Hyd yn oed os nad o'n i'n ei deimlo, roedd o'n dal yno, yn swatio.

"Gwranda ar gân yr adar yn dy enaid," meddai. "Maen nhw'n gwarchod y perl yn ofalus," ac ar y pryd ro'n i'n ei chredu. Bellach, mae unrhyw atgof am gân aderyn ym mhen draw eithaf y cof, ond wna i ddim colli gafael ar y ddelwedd.

"Fedri di ddysgu dy hun i gofio," oedd geiriau Hagar. "Bob nos, cyn cysgu, cyfarcha Mam a Dad a Nague bach, a dos o dŷ i dŷ yn y pentre'n enwi pawb rwyt ti'n eu cofio. Achos dyna'r awr, jest cyn clwydo, y maen nhw'n ein galw ni, a dylen ni addo ceisio eu hateb. Dylen ni geisio canfod ffordd o ddychwelyd atynt."

"Sut mae hynny'n bosib, Hagar?" gofynnais, achos roedden ni wedi cerdded mor bell o'n cartre fel y byddai'n anodd iawn canfod ein ffordd yn ôl.

"Credu y gallwn ni ddychwelyd ydi hanner y frwydr," oedd ei hateb. Doeddwn i ddim yn deall hynny, ond dywedodd Hagar yn flinedig,

"Mi ddoi di i ddeall."

Rhyfedd fel mae ei geiriau wedi aros efo mi, yn ddwfn

yn fy nghalon, nid yn unig yr union eiriau, ond goslef y dweud, a'i llais, a'r olwg yn ei llygaid. Roedd hi eisiau i mi ddal gafael mewn gobaith yn fwy na dim. A hi oedd yn iawn, wrth gwrs. Dyna'r unig beth sydd gan rywun yn y pen draw, pan mae pob affliw o bob dim arall wedi mynd, hyd yn oed dy chwaer.

YR HUNLLEF

Buom ym mol Yr Hunllef am drigain niwrnod, a hwnnw ydi'r lle gwaethaf i mi fod ynddo erioed. Wyddai neb i ble roeddem yn mynd, ond mynnai llawer fod Yr Hunllef yn croesi'r môr, ac yn mynd i ben draw'r byd a'n lluchio dros yr ochr. Un peth y gwyddai pawb – nad oedd neb wedi dod yn ôl o Ben Draw'r Byd.

Fasach chi ddim yn credu maint Yr Hunllef, hyd yn oed pe gallwn dynnu ei lun. Be fedrwn i mo'i gredu oedd faint o bobl oedd wedi'u gwasgu i'w ymysgaroedd. Roedd o'n fwy na gorlawn. Lle bynnag roeddech chi'n edrych, roedd cyrff wedi'u gosod ochr yn ochr, hyd yn oed wedi'u gwasgu i gilfachau. Roedd y dynion yn sownd wrth gadwyni, a'r cadwyni hynny'n cadw pob un yn ei le. Yr unig adeg i ystwytho oedd wrth gerdded ar fwrdd y llong unwaith y dydd. Weithiau byddem yn gorfod dawnsio i gyfeiliant ffidil, er mawr ddiddanwch i'n meistri. Mae'r darlun o'r dawnsfeydd macabr rheini'n dal yn fy nghof, o draed mewn cyffion yn codi 'chydig fodfeddi o'r llawr. Y peth gwaethaf oedd arogli'r awyr iach a'r heli, a gorfod mynd 'nôl i lawr y grisiau i gael eich taro gan ddrewdod y lle o'r newydd. Deuai pobl o amgylch i'n bwydo, ond os oeddech eisiau gwagio eich corff, roedd rhaid gwneud hynny yn y fan a'r lle, ac roedd y drewdod, yn naturiol, yn ddychrynllyd. Dwi'n credu mai hynny a laddodd Hagar yn y diwedd. O'r drewdod hwnnw deuai pob math o afiechydon, a doedd dim modd llechu rhagddynt. Drwy gydol yr amser, doedd dim byd yn gadarn, dim ond y teimlad fod eich byd yn siglo 'nôl a mlaen, 'nôl a mlaen, drwy oriau'r dydd ac oriau hwy y nos. Yr unig reswm dros agor cyffion y dynion oedd pan oedden nhw'n marw, a dyna'r ffordd y dewisodd llawer un ddianc. Hynny, neu neidio dros ochr y llong.

Pan oedd y wasgfa'n waeth nag arfer, a'r llewod yn rhuo yn fy stumog, byddai Hagar yn rhoi ei bwyd i mi. Roedd hi'n ofnadwy o glên yn gwneud hynny, a theimlwn na ddylwn ei gymryd, ond roedd y llwgfa'n mynnu 'mod i'n ei lowcio.

Dwi'n holi fy hun rŵan, ddylwn i fod wedi'i gymryd? Ai fy mai i ydoedd fod Hagar wedi mynd?

Y LLE NAD YDW I BYTH YN MYND IDDO

Mae yna risiau yn fy mhen sy'n arwain i lawr i selerydd y cof. Wrth fentro i lawr yn ofalus, gan afael yn sownd yn y canllaw, gwn fod un drws yn y pen draw sydd wastad ar gau. Dwi'n gallu ei gadw ar gau am y rhan fwyaf o'r amser. Ond ambell waith, yn fy nghwsg, neu yn gwbl ddigymell, dwi'n canfod fy hun yn cerdded tuag ato, ac yn dewis troi'r dwrn i'w agor. Gwn mai poen ddaw o wneud hynny, ond dwi'n ei agor o'm gwirfodd, am 'mod i *eisiau* cofio, hyd yn oed os ydi o'n brifo.

A Hagar sydd yna yr ochr arall, Hagar fy chwaer ddaru ofalu amdanaf cyn i mi ddysgu cerdded. Yn wir, Hagar ddysgodd hynny i mi, drwy afael yn fy llaw wrth i mi roi un droed o flaen y llall yn betrusgar. Hagar, hanner fy mod, Hagar, fy nghraig a'm tarian. Tu ôl iddi hi ro'n i'n llechu, a hyd heddiw gallaf deimlo cotwm ei gwisg ar fy moch, a'i llaw yn mwytho 'mhen.

Rhoi, rhoi, rhoi ddaru hi tan y diwedd un, pan nad oedd hi'n ddigon cryf i fyw. Fedrwn i ddim credu ei bod yn llithro o'm gafael. Dywedodd wrtha i gymaint o weithiau y byddai pethau'n ôl-reit, ond wnes i 'rioed ddychmygu na fyddai hi yno i'm gwarchod. Pan ddaeth ei hanadl olaf, sylweddolais 'mod i'n gyfan gwbl ar fy mhen fy hun. Roedd y person oedd yn fy ngharu fwyaf yn y byd wedi mynd. Ro'n i'n noeth gerbron y byd, a dydw i erioed wedi teimlo mor unig. Chafodd y ddaear mo'i derbyn.

Lluchiwyd ei chorff i'r dŵr yn ddiseremoni. Hagar druan.

Gyda'i diflaniad, dim ond hanner ohonof sydd ar ôl. Dim ond efo hi y gallwn rannu hen atgofion am Mam a Dad a Nague bach. Does neb arall yn eu nabod, ac mae perygl iddyn nhw droi'n gymeriadau dychmygol yn fy mhen. Fedra i ddim dweud eu henwau'n uchel mwyach – dydyn nhw'n golygu dim i neb. Tra oedd Hagar yn fyw, gwyddwn nad hel meddyliau oeddwn i. Roedd hi'n gnawd ac esgyrn, yn llygaid chwerthin ac yn wên lydan, roedd yn sbort bod yn ei chwmni.

Gen i hiraeth amdani. Dwi wedi gwneud fy hun yn ddigalon rŵan, ond dydw i ddim eisiau cau y drws arni am byth.

Y DIWRNOD PAN NA DDIGWYDDODD DIM BYD

Joban fi yn y bore ydi rhoi'r bwyd i'r moch. Dwi'n lecio'r amser yma o'r dydd, dim ond y fi a'r bore bach. Dwi'n meddwl weithiau, 'Gallai heddiw fod yn wahanol, gallai fod yn gychwyn byd newydd'. Achos pan wnaiff Dydd Rhyddid wawrio, fydda i ddim yn gwybod ben bore. Bore 'run fath â hwn fydd o, achos bydd y moch eisiau bwyd – Dydd Rhyddid ai peidio. Ond falle y gwelaf Phibah yn chwifio ei breichiau o'r tŷ ac yn wên o glust i glust.

Bydd Hannibal falle yn rhedeg ataf, a bydd wedi colli ei wynt ac yn dweud, "Glywaist ti? Mae ffrae wedi cychwyn yn May Penn", ac mi fydda i'n codi fy sgert ac yn rhedeg efo fo. Ond bore 'ma dwi'n gweld neb, ac mae'r moch yn gwichian fel pethau gwirion.

Torri'r gansen ydan ni yn y bore ac yn y prynhawn. Mae'n ddiwrnod cwbl ddiddigwyddiad. Mae 'nghefn yn brifo ac mae 'nwylo yn galed. Rydan ni'n bwyta'r pryd nos ac yn mynd i'n gwlâu.

A fedra i ddim deud bod dim byd penodol am y diwrnod yma. Ddaru neb frifo na marw, sy'n ei wneud yn ddiwrnod da. Ond fedra i 'mond cyfeirio ato fel 'Y diwrnod pan na ddigwyddodd dim byd'. Dyna reswm arall pam na allwn gadw dyddiadur – mae pob dydd yn union yr un fath.

TŶ BACH MEWN TŶ MAWR

Pan ddaw Phibah yn ôl o'r Tŷ Mawr ddiwedd dydd, cawn sgwrs. Mae'n llawer hŷn na mi ond rydan ni'n ffrindiau, ac mae'n gweithio mewn byd arall. Oherwydd hynny, mae'n debygol o fyw mor hen â hanner cant a mwy, sy'n ddeng mlynedd yn hwy na'r gweddill ohonom.

"Pwy sydd eisiau byw ddeng mlynedd arall yn y twll din byd yma?" holodd Plato, ond ddaru ni ddim cymryd sylw ohono. Hen ddyn chwerw ydi Plato, yn cwyno am bob dim.

Mae Phibah yn gweithio yn galed, ond o leiaf dydi ei dwylo hi ddim yn llawn creithiau fel fy rhai i. Gweithio yng nghegin y Tŷ Mawr mae hi, ac mae hynny'n well na job fel glanhawr, hyd yn oed. Be hoffai ei gael go iawn fyddai swydd fel morwyn. Dim ond y rhai efo croen llai du gaiff waith yn y Tŷ Mawr. Nid fod prinder o rai felly gan fod had y Dyn Gwyn yn rhemp tra'i fod yn treisio cynifer o'r merched.

"Faswn i ddim yn gostwng fy hun i weini arnyn nhw, Phibah."

"Paid â trio bod yn rhinweddol," atebodd. "Gweini arnyn nhw wyt ti wrth dorri'r gansen, wrth fwydo'r moch, neu os wyt ti'n forwyn. Gweini arnyn nhw ydi ystyr dy fod."

"Allwn i ddim bod yn eu cwmni, fedrwn i byth eu helpu i wisgo, cyffwrdd ynddyn nhw neu dollti eu te – yr agosatrwydd sy'n ei wneud yn wahanol, anadlu'r un aer â nhw."

"Dydw i ddim yn meddwl amdanynt fel pobl," meddai Phibah yn syml. "Dim ond fel doliau mawr. Does ganddyn nhw ddim teimladau fel ti a fi. Byd ffantasi ydi eu byd nhw."

Yna cawsom stori anhygoel ganddi. Dywedodd Phibah fod gan y plentyn yn y Tŷ Mawr dŷ yn ei stafell – tŷ yn union fel y Tŷ Mawr, ond ei fod yn gallu ffitio i un stafell. Roedd stafelloedd yn y tŷ, a ffenestri a drysau yn agor ac yn cau. Yn y stafelloedd roedd dodrefn, mat ar y llawr, bwrdd bach ac arno lestri bach, bach, bach maint eich gewin.

Doeddwn i ddim yn ei chredu.

"I be fasat ti eisiau tŷ bach mewn tŷ mawr?" gofynnais.

"Er mwyn i'r hogan bach gael chwarae efo fo," atebodd, fel petai'n hollol amlwg.

Sut fasa rhywun yn cael amser i chwarae, meddyliais, cyn sylweddoli bod gan bobl a phlant y Tŷ Mawr yr holl amser yn y byd. Doedd ganddyn nhw ddim tasgau i'w gwneud am ein bod ni'n gwneud yr holl waith ar eu rhan. Fedrwn i ddim dychmygu bywyd yn gwneud dim byd – roedd o tu hwnt i mi. Ond taswn i'n blentyn efo'r holl amser yn y byd, dwi'n siŵr y gallwn ganfod ffordd well o'i dreulio na chwarae efo tŷ bach mewn tŷ mawr.

"Mae ganddyn nhw ddoliau bach sy'n ffitio yn y tŷ. Doliau'n edrych yn union 'run fath â nhw, a'r rheini sy'n byw yn y Tŷ Mawr bach," meddai Phibah, cyn ychwanegu dan wenu, "does gan y doliau ddim byd i'w wneud chwaith!"

JONI GONAR

Ambell waith, mae rhywun yn gallu synhwyro fod y dydd yn un digalon cyn iddo gychwyn, hyd yn oed. Mae yna deimlad trwm yn yr awyr, ac mae'r gwellt yn sibrwd hen gelwyddau wrth ei gilydd. Fi sy'n meddwl mai sisial celwydd maen nhw achos dydw i ddim eisiau credu fod y stori'n wir.

Dwi'm yn meddwl 'mod i eisiau clywed bob newydd – fasa'n well tase ambell stori ddim yn dod i'm clyw.

Torri'r gansen oedden ni pan glywsom derfysg yn y pen pella. Doedd wiw inni adael ein tasg, ond pan ddaw gwaedd a dolefain, mi wyddoch yn syth fod rhywun naill ai wedi cael loes neu wedi marw. Gan ei fod fel ail natur i chi, dach chi'n taro'r gyllell yn erbyn y bonyn, ond y cyfan sy'n llenwi eich meddwl ydi pwy sydd wedi'i chael hi'r tro hwn?

Dyna sy'n od efo'r uffern yma. Bron iawn y medrwch chi flasu Drygioni yn yr awyr.

Mi ddaw fel tarth a lapio ei hun rownd pobl, gan beri iddynt golli eu pwyll yn llwyr. Y Llgada Mawr sy'n ei cholli amlaf, ac wrth gwrs, yn ei ddwylo fo mae'r fflangell a'r gyllell.

"Be ydi'r stori?" gofynnaf i Prue sydd agosaf ataf.

"Joni Gonar sydd wedi dod i'r fei."

Tase rhywun wedi 'nharo efo gordd, faswn i ddim wedi cael mwy o sioc. Roedd Joni Gonar yn greadur mytholegol yn ein golwg. I mi, roedd fel cymeriad mewn stori, yn saith troedfedd efo gwallt tyn a chorff wedi'i addurno. Ers dwy flynedd, roedd Joni Gonar wedi'i heglu hi, wedi mynd i chwilio am y Marŵns. Wedi chwe mis, roedd rhywun wedi'i weld yn y cyffiniau, ac aeth dau o'r Llgada Mawr ar ei ôl. Un dydd, daethant yn ôl ar eu ceffylau a Joni Gonar yn cael ei lusgo tu ôl iddynt mewn rhaffau. Ddaru nhw losgi ei ysgwydd efo haearn poeth a'i alw yn bob enw dan haul a phoeri arno cyn ei chwipio.

Ddaru nhw chwipio fo ddwsinau o weithiau nes bod afonydd o waed yn rhedeg o'i gorff, ond ddaru o ddim yngan gair. Gallai oddef y boen nes codi ofn ar ei boenydwyr. Arwr i bawb oedd Joni Gonar.

Roedd hi'n stori fawr pan ddiflannodd Joni Gonar am yr eilwaith a rhai yn gweld bai arno. Arwr oedd yn dianc unwaith, ffŵl oedd yn gwneud hynny yr eilwaith. Byddai ei fywyd ar ben petaen nhw'n ei ddal eto.

Ond ddaru nhw mo'i ddal, ac adferwyd statws Joni Gonar. Dywedai rhai fod eryr wedi dod o rywle, ac yn wir, roedd rhai yn llygad-dyst i'r digwyddiad. Daeth eryr mawr heibio, a chafodd Joni deithio ar ei gefn. Dywedai eraill mai troi'n eryr wnaeth Joni Gonar ac na wnaiff neb ei weld eto. Fo oedd yr un dyn oedd wedi trechu'r Dyn Gwyn, ac oherwydd hynny, roedd dweud ei enw yn gyfystyr â theimlo gobaith. Yr hyn nad oedd pobl eisiau ei glywed oedd fod Joni Gonar, o bawb, wedi ei ddal. Roedd yn ddiwedd hyll iawn i'r chwedl.

Doedd y newyddion sut ddaru nhw ei ddal ddim yn hysbys. Y peth mawr oedd na fyddai o byth eto'n dianc. Achos pan gyrhaeddodd sgwâr May Penn, mi ddaru nhw losgi ei ysgwydd arall efo'r haearn poeth, ac yn ôl y cod ymddygiad, ddaru nhw dorri ei droed i ffwrdd, yng ngŵydd pawb, a drachefn, roedd y pridd yn goch gan ei waed. Unwaith dach chi'n torri darn o'r corff, mae hi ar ben arnoch. Heb gorff cyfan, chaiff o byth fynd yn ôl i'r Wlad Cyn Cof.

A rhag ofn nad oedd pobl yn credu'r ffeithiau, roedd Joni Gonar yn y sgwâr y funud hon – ei goesau mewn stocs a dim ond un droed i'w gweld, achos stwmp oedd ar y goes arall. Lwmp truenus o gnawd oedd yr arwr erbyn hyn. Syllai bachgen bach arno mewn rhyfeddod, a holi ei fam:

"Joni Gonar ydi hwnna, Mam?"

"Joni Gonar oedd o," atebodd ei fam a'i dywys oddi yno.

PETH BACH

Pan gaf amser, does yna ddim yn rhoi mwy o bleser i mi na threulio amser yng nghwmni plentyn. Mae wastad yn codi ’nghalon. Un o’r rheini ydi Fortune. Dydi Fortune yn fawr o beth, ond chaiff yntau ddim bod yn segur. Mae gan Fortune ei gyllell fach ei hun, hyd yn oed, i dorri’r gansen. Ei ofn mwyaf yw colli’r gyllell hon a chael ei gosbi am hynny.

Dwi’n teimlo’n warchodol ohono. Taswn i’n cael cynnig unrhyw beth yn y byd, yr hyn leciwn i fwyaf fyddai cael gwared o’r ofn o lygaid Fortune. Mae ganddo wên ddigon o ryfeddod sy’n goleuo ei wyneb, ond dydi’r ofn hwnnw byth yn diflannu’n llwyr o’i lygaid.

Mae ei fam yn gweithio yn yr un rhes â ni a rydym i gyd yn cymryd ein tro i gadw llygad ar Fortune. Mae Maia saith mis yn feichiog, ac yn cael trafferth go iawn bellach i blygu a chodi. O ganlyniad, rydyn ni i gyd yn ei helpu.

“Popeth yn iawn, Fortune?” dwi’n gofyn iddo un diwedd pnawn.

“Wedi blino ydw i.”

“Ti am i mi ganu cân?”

“Gawn ni ganu efo’n gilydd?”

“Wrth gwrs, beth am ‘Thula Thula’ – ‘bydd dawel blentyn’? Dechra di ...”

Ac er bod y gwres yn llethol a’r gwaith yn galed, mae’r gân yn llwyddo i’n cynnal.

"Thula thula thula baba,
Thula thula thula sana,
Thula thula thula baba,
Thula thula thula san."

Mae'n llwyddo i'n cadw i fynd am dipyn nes y clywaf fy enw.

"Eboni!"

Clara oedd yn gweiddi, ac yn dod ataf.

"Dydi Maia ddim hanner da."

"Ro'n i'n meddwl eich bod chi gyd yn ei helpu ..."

"Roedden ni, ac roedden ni ofn arafu'r rhes," meddai.

"Dim ots, wir i ti. Dim ond nad ydych chi ormod ar ein holau. Fiw i'r gweddill ohonom oedi."

Erbyn hynny, roedd Fortune wedi dod i sefyll wrth fy ochr.

"Mae Maia wedi syrthio!" gwaeddodd rhywun, a theimlais freichiau Fortune yn gwasgu'n reddfol amdanaf, ac yna'n llacio. Roedd yn barod i redeg ymaith, ond llwyddais i'w rwystro.

Gwyddai na ddeuai dim da o hyn. Penliniais ac edrych arno.

"Fortune – aros efo mi! Rhaid i ti fod yn hogyn ofnadwy o dda rŵan, a dal ati i weithio."

Edrychodd Fortune i'r pellter.

"'Drychwch, mae Llgada Mawr yn dod. Dach chi'n meddwl y gwnaiff o helpu?"

Suddodd fy nghalon o weld y dyn ar ei geffyl yn dynesu. Rhaid ei fod wedi sylwi bod rhywbeth wedi tarfu ar batrwm y rhes. Erbyn hyn, roedd y merched wedi camu o'u rhychau ac yn gylch o amgylch Maia.

"Bydd rhaid inni ei symud. Fedrwn ni ddim ei gadael yma yn y gwres," meddai Anna.

"Fedr rhywun gadw Fortune draw?"

Daeth Llgada Mawr yn nes.

Erbyn iddo gyrraedd y merched, daeth oddi ar ei geffyl a cherdded drwy'r cylch.

Gwelodd Maia ar y llawr, a thuchan. Gofynnodd iddi godi ddwywaith, a phan na chafodd ymateb, tynnodd ei chwip allan. Gwaeddodd ar un o'r dynion i gloddio pant yn y tir.

A'r un fu tynged Maia druan â phob gwraig feichiog gafodd ei chosbi, sef cael ei gosod i orwedd yn y pant, a'i hwyneb yn y pridd, cyn cael ei chwipio.

Yn sŵn y chwip, fferrodd pawb a cholli pob gallu i lefaru. Heb fod ymhell, gafaelais yn ysgwyddau Fortune ac edrych i fyw ei lygad. Gobeithiwn na fyddai'n ddigon hen i wybod beth oedd yn digwydd, ond wrth edrych i'w lygaid, gwyddwn ei fod yn deall yn burion. Dydw i erioed wedi gweld cymaint o boen yn llygaid neb.

Amneidiais arno i gadw'n dawel, i beidio ubain nac yngan gair. Ufuddhaodd, a gwyliais y dagrau poeth yn llenwi ei lygaid. Ac wrth wneud hynny, ro'n i'n casáu fy hun am adael i'r drefn fynd rhagddi. Dan drefn mor annynol, y cwbl fedrwn i ei wneud oedd atal plentyn rhag sgrechian am fod ei fam ei hun yn cael ei chosbi.

Llusgwyd Maia oddi yno wedi i Llgada Mawr orffen efo hi, a'r gobaith oedd fod y bychan yn ei chroth wedi goroesi. O leiaf roedd y creadur wedi cael rhagflas o'r hyn oedd yn ei ddisgwyl yn y byd.

CYFRINACH

Ro'n i'n meddwl mai dim ond i mi roedd o'n digwydd. Roedd gen i gymaint o gywilydd fel nad oeddwn i'n sôn wrth neb. A dim ond pan glosiodd Belinda ataf wrth ddod o'r caeau un dydd y cefais wybod amdani hithau. A dweud y gwir, doeddwn i ddim yn or-hoff o Belinda. Roedd hi'n eneth dal, gydnerth a llygaid slei, a doeddwn i ddim yn hoffi'r modd roedd hi'n edrych arnaf. Doedd hi fawr hŷn na mi go iawn, ond roedd hi'n gymaint talach na mi, ac roedd ei chorff wedi datblygu.

Cerddodd wrth fy ymyl a holi a gâi ofyn rhywbeth i mi. Gwrthod ateb ei chwestiwn wnes i ar y cychwyn, a gofyn pam roedd hi wedi dod ataf i.

"Y genod eraill oedd wedi sylwi," meddai.

Dim ond ers rhyw 'chydig fisoedd roedd y peth wedi cychwyn.

Llgada Mawr oedd wedi dod ataf ac wedi gofyn i mi ei ddilyn. Roedd arna i ofn y byddai'n fy chwipio, ac roedd fy nghalon yn fy ngwddf. Ond mynd i'w gwt a wnaeth a dechrau mwytho fy ngwallt a'm corff a dweud wrthyf am orwedd ar y bwrdd. A nath o wneud pethau i mi. Tan hynny, ro'n i'n meddwl mai fi oedd pia fy nghorff, ond dysgais yn amgenach y diwrnod hwnnw. Maen nhw'n cymryd popeth oddi wrthot ti – popeth.

Doeddwn i 'rioed wedi dweud wrth neb am hyn o'r blaen, a sylwais yn sydyn 'mod i'n crio.

"Mae o wedi gneud yr un peth i mi," meddai Belinda.

Ew, mi ges i sioc. Llwyddais i reoli'r dagrau a dod ataf fy hun.

"Ro'n i'n meddwl ei fod yn well na chael fy chwipio, ond dydw i ddim yn siŵr os ydi o. Dim unwaith, ddwywaith, ond mae o'n digwydd yn rheolaidd rŵan."

Nodiodd Belinda.

"Wn i ddim sut i'w stopio." Daria, roedd y dagrau'n dechrau eto.

"Does 'na ddim ffordd o'i stopio, Eboni. Rhaid dysgu byw efo fo. Dydi o ddim yn para am byth. Mi gaiff ei ddenu gan ferched eraill yn y man, a'u tro nhw fydd o wedyn."

Oedd hynny'n unrhyw gysur? Ai pasio'r boen ymlaen oedden ni i fod i'w wneud?

"Ro'n i'n meddwl mai fi oedd yr unig un tan i'r merched eraill siarad," meddai Belinda, "a soniodd rhywun amdanat ti. Roedd y lleill ofn dweud dim, ond wnes i feddwl y byddai'n well rhannu efo ti. Mae meddwl dy fod ar ben dy hun yn ofnadwy."

"Diolch, Belinda."

"Ffordd arall o'n dirmygu ni ydi o. 'Runig beth fedri di ei wneud ydi aros yn gryf. Gawn nhw wneud a fynnan nhw efo'n cyrff ni, ond fedran nhw ddim cymryd ein meddwl ni," meddai hi wedyn.

Wnes i edrych ar Belinda mewn golau newydd ar ôl hynny, a'i hystyried yn ffrind. A dyma sylweddoli fod consyrn i'w ganfod yn y mannau mwyaf annisgwyl.

'RUN PETH

Weithiau dwi ddim yn teimlo fel codi. Falle mai tyfu'n oedolyn ydw i. Pan ro'n i'n hogan fach, dwi'n cofio deffro yn y bore a theimlo cynnwrf dydd newydd o'm blaen.

Weithiau, yn y Wlad Cyn Cof, byddwn yn deffro cyn pawb arall a mentro ar flaenau 'nhraed tua'r drws. Er na feiddiwn gamu dros y trothwy, byddwn yn agor y ddôr ac eistedd yno. Ambell fore, deuai Hagar i chwilio amdanaf ac eistedd efo mi. Ni fyddem yn yngan gair, dim ond teimlo'r wefr nad oedd neb yn cadw llygad arnom. Roedd naws arbennig i'r adeg honno o'r dydd, ac ro'n i'n mwynhau gwylio'r byd plygeiniol cyn i ddyletswyddau'r dydd gychwyn. Y cyntaf i groesi'r cylch fyddai Yusan a'i eifr, ac wedi iddo fo fynd heibio, gwyddem fod pawb ar fin codi.

Dro arall, crawc y ceiliog fyddai'n fy neffro. O'r gwely, byddwn yn gwylio fy mam yn paratoi bwyd, a byddai'n bryd i minnau mofyn dŵr. Byddai ieir Garbi yn crafu'r pridd, ac wrth fynd heibio cartref Toro, byddai'r plant bach yn dod i'm cyfarch a holi lle ro'n i'n mynd. Yr un fyddai'r ateb bob dydd, ond roedd hi'n gêm yr hoffem ei chwarae.

Dyna ydi'r gwahaniaeth mawr. Adref, roedd yna batrwm a phwrpas i'r dydd. Yma, mae 'na batrwm, ond dim pwrpas. Dydw i na neb arall yn deall diben hyn i gyd, a does dim pen draw iddo. Dim ond gweithio i'r Gwynddyn ydan ni, heb dâl, heb orffwys. Ac os mai fel hyn fydd bywyd tan y bedd, dydw i ddim eisiau iddo bara'n hir. Peth ofnadwy ydi tyfu'n oedolyn.

Yn ôl eu cred nhw, 'mond un duw sydd ganddyn nhw, a maen nhw'n credu ei fod o unwaith wedi byw ar y Ddaear yma (fel dyn gwyn, wrth gwrs). Does dim pobl ddu yn eu crefydd Nhw. Byd o ddioddef ydi'r byd yma, a'r peth pwysig ydi Ufuddhau. Unwaith mae rhywun yn marw, maen nhw'n mynd i le o'r enw Nefoedd, neu le o'r enw Uffern. Does 'na nunlle gwaeth nag Uffern. Ond rydan ni'n gwybod yn iawn mai ffordd arall rownd mae hi go iawn. Mai Uffern ydi fan hyn, ac mai'r lle da ydi Affrica. Dyna pam rydan ni'n galw'r Boiler House yn Uffern.

Wn i ddim lle ydi'r man gorau i weithio yn fan hyn, mae o i gyd yn ein lladd yn araf (neu'n sydyn iawn weithia). Y peth gwael ydi nad oes gennym ddewis. Hyd yn oed wedi'r holl flynyddoedd, dydi byd rhywun yn gwella dim. A dweud y gwir, gwaethygu mae o. A dyma fi'n hogan sy'n tyfu, does gen i ddim byd i edrych ymlaen ato, dim ond gwybod y bydd fy mywyd yn graddol waethygu. 'Run peth ydi bob dim tan ddiwedd ein dyddiau. 'Run peth, 'run peth, 'run peth.

BWYDO'R BWYSTFIL

Mae Uffern yn beryg bywyd. Anaml dwi'n gorfod mynd yno, diolch byth, ond mae'r amodau yno'n erchyll. Y brys sy'n achosi'r drwg. Wedi inni dorri'r cansenni, mae rhaid iddyn nhw gael eu trin yn sydyn, neu maen nhw'n mynd yn galed ac yn dda i ddim. Felly drwy'r amser maen nhw'n mynnu ein bod yn gweithio'n gynt ac yn gynt. Ac un o'r tasgau peryclaf ydi bwydo'r gansen i'r peiriant sy'n ei gwasgu. Mae o fel ceg rhyw anifail rheibus fedr byth gael ei ddigoni, ac mae ganddo ddannedd miniog, miniog. Y Bwystfil 'dan ni'n ei alw.

A heddiw, wrth fwydo'r Bwystfil efo'i archwaeth amhosib i'w leddfu, cafodd breichiau Mirtilla eu dal a'u brathu. A rŵan, does ganddi ddim breichiau. Does yna ddim byd mwy diwerth yn y byd (na mwy trist) na chaethferch heb freichiau. Maen nhw wedi'i rhoi yn yr ysbyty, ac mae wedi dod allan efo bandejis trwchus ar ddau stwmp. Ond mae ei breichiau hi'n brifo'n ofnadwy, medda hi, er nad ydyn nhw yno. Dydi ddim yn gallu gwneud dim byd rŵan, sy'n ei gwneud yn ddiwerth, ond mae hi'n dal angen ei bwydo.

Rai wythnosau wedyn, mi ddaru ni wneud rhywbeth nad ydym wedi'i wneud o'r blaen. Roedden ni'n teimlo i'r byw dros Mirtilla. Gafodd rhywun y syniad o ddod at ein gilydd i ganu. Felly cyn cysgu, gawson ni afael ar focsys a sosbenni ac unrhyw beth i'w guro. Roedd rhywbeth arbennig am y noson. Efo'r rhythm, ac yn y tywyllwch, mi ddaru'r curiadau ein meddiannu, a dawnsio a llefain fuon ni'n ei wneud am hydoedd. Daeth y Gwynddyn i gwyno ein bod yn gwneud sŵn, ac roedd rhaid i bawb fynd i'w gwlâu'n sydyn. Ond wna i byth anghofio'r noson honno lle daeth pawb at ei gilydd. Ac er na ddaru hi ddim canu, roedd Mirtilla yn ein mysg, fel tasen ni'n ei gwarchod hi. Mae cerddoriaeth yn rhywbeth anhygoel o bwerus.

MEDDYLIAU

Bob dydd, dwi'n torri'r gansen a dwi'n trio rhoi fy nghynddaredd yn y gyllell. Efo bob trawiad, dwi'n taro'n ôl, taro'n ôl. Dim ond felly dwi'n gallu cadw fy hunan-barch. Dwi'n meddwl am y rhai sydd wedi eu chwipio, wedi eu malu, wedi eu torri. Dwi'n meddwl am y rhai sydd wedi marw, ac felly bob tro dwi'n taro, dwi'n enwi'r pethau sy'n peri'r loes. Gadael cartref – taro, colli Hagar – taro, y diffyg bwyd – taro, Llgada Mawr – taro, eu casineb nhw – taro, taro, taro, taro. Brwydr ydi hi rhyngom Ni a Nhw, bob awr o bob dydd, ac mae'r blinder yna'n waeth na'r blinder corfforol.

Achos y peth ydi, nhw sydd yn ennill ar ddiwedd bob dydd. Rydan ni'n dal yn gaeth wrth i'r haul fachludo, a byddwn ni'n dal yn gaeth wrth i'r wawr dorri y diwrnod wedyn. Mae hynny'n dy sigo. Ond ffordd arall o edrych arni ydi 'mod i'n dal yn fyw ar ddiwedd y dydd, a dydyn nhw ddim wedi fy nhrechu. Ti'n dal yn fyw, ti'n dal i gwffio, er bod ti'n methu gwneud fawr o ddim.

Ew, dwi'n eu casáu nhw.

Mae Mirtilla wedi marw. Ddaru nhw ddod o hyd iddi yn y llyn yn y cefn. Does neb yn gwybod os mai rhywun nath ei boddi, neu hi neidiodd i mewn. Hyd yn oed os ydi dy freichiau wedi'u torri, ti'n dal i allu defnyddio dy goesau, a neidio i dy ddiwedd dy hun.

Ac mae hi wedi mynd. Dwi'n falch ei bod wedi dianc.

Dydi pethau ddim yn teimlo'n iawn yma. Mae yna hen

anghydfod yn y gwynt. Mae rhywun yn gallu ei deimlo fo'n stelcian o gwmpas y lle. Rydan Ni ofn ac maen Nhw ofn.

A weithiau, dwi'n ysu i rywbeth dorri'r croen a gadael i'r briw erchyll agor ac i'r teimladau drwg i gyd ddod i'r wyneb.

COLLI EI GYLLELL

Ddaru o ddechrau efo Fortune yn colli ei gyllell, a fuo rhaid iddo drio gwneud y gwaith efo'r gyllell fawr, ond roedd honno'n rhy drwm ac anhylaw, wrth gwrs. Y diwedd fu i Fortune dorri ei hun, ac roedd hollt ddofn yn ei goes dan ei ben-glin. Ddaru gweld Fortune mewn ffasiwn boen beri i Nero wallgofi, ac mi luchiodd hwnnw ei gyllell ei hun ar y llawr a sgyrnygu ar un o'r Llgada Mawr oedd wrth law. Roedd hynny'n ddigon i hwnnw droi arno fo a'i chwipio. Wedyn wnaeth Titus a Quasha ei cholli hi, a dim eu bai nhw oedd o. Weithiau, ti jest ddim yn gallu bod yn dyst i gymaint o fwlio a chasineb, ac mae rhyw sbring ynot ti jest yn torri, a ti'n mynd yn honco. Trodd y chwip ar Titus a Quasha, wrth gwrs, ac roeddan nhwtha wedyn yn fflat ar y llawr. A Fortune yn beio ei hun, achos tase fo heb golli ei gyllell, fasa'r tri dyn yma ddim ar y llawr yn gwaedu.

Mae Nero a Titus a Quasha rŵan wedi'u cloi yn y seler, a mae Llgada Mawr yn lot rhy chwim efo'i chwip. Dydyn nhw ddim yn dallt – mwya maen nhw'n chwipio, gwaetha'n y byd mae pethau'n mynd. Nhw sy'n creu'r gynddaredd yn ein mysg drwy ein chwipio. Maen nhw'n chwipio cymaint nes fod pethau'n sicr o ferwi drosodd. Mae yna anniddigrwydd mawr yma – dydw i erioed wedi'i deimlo mor gryf â hyn o'r blaen.

Mae Titus wedi cael ei chwipio eto – yn gyhoeddus y tro hwn. Mae o wedi'i glymu wrth bolyn, ac mae'n sefyll yn llipa ar y sgwâr. Mae'r Gwynddyn yn rhoi mêl ar ei glwyfau i ddenu'r pryfed, ac mae eu cosi nhw'n waeth na'r fflangellu, bron iawn. Wedi'i rwymo, fedr Titus ddim hel y pryfed ymaith, hyd yn oed tase fo'n ddigon ymwybodol i wneud hynny.

Dechreuodd Titus udo'n rhyfedd. Dwi'n meddwl fod ei synnwyr wedi ymadael â'i gorff, ac mae o'n dechrau mynd o'i gof.

Fel tase hynny ddim yn ddigon drwg, aethant i nôl Plato. Mi ddatodwyd rhwymau Titus, a'i osod ar ei gefn ar y llawr, a dau o'r Llgada Mawr yn ei gadw yn ei le, ac yn cadw ceg Titus ar agor. Gorfodwyd Plato i dynnu ei drowsus a phiso ar wyneb Titus, i mewn i'w lygaid ac i mewn i'w geg. Mae peth felly'n ffiaidd, a dwi methu deall pam rydan ni'n cael ein gorfodi i fod yn llygad-dystion i'r cyfan. Os ydyn ni'n cau ein llygaid a gwrthod gwylio, cawn ein taro. Gallaf deimlo'r casineb o'm mewn yn cnoi fel cancr.

CHWIP

Ges i fy chwipio heddiw. Cwbl wnes i oedd gorffwyso ennyd. Roedd y nerth wedi mynd o'm breichiau, ac ro'n i'n teimlo fel cadach. 'Gad i bethau fod' oedd y geiriau glywais i, 'Aros ennyd, bydd yn dyner efo ti dy hun'. A gwelais wên Hagar, a wnes i stopio mwya sydyn. Roedd o'n brofiad rhyfedd, sefyll yno dan yr haul, a chau fy llygaid a chofio cymaint roedd Hagar yn fy ngharu. 'Gwranda ar gân yr adar yn dy enaid', dyna fyddai hi'n ei ddweud.

Ond dwi'n meddwl fod yr adar wedi hedfan bellach.

Am fod fy llygaid ar gau, welais i mo'r Llgada Mawr yn dod tuag ataf, a'r eiliad wedyn, llosgwyd fy nghefn efo trawiad chwip. Wnes i 'rioed ddychmygu y byddai'n brifo cymaint. Roedd fy nghefn yn crynu efo grym y trawiad. Syrthiais ar fy wyneb, a daeth yr ail chwipiad. Roedd taro ar gnawd toredig yn ormod. Sgrechian wnes i, sgrechian mewn cynddaredd. Ydi, mae'r boen yn erchyll, ond y dirmyg a'r cywilydd sydd waethaf. Y teimlad cyfoglyd bod nhw'n credu fod ganddynt yr hawl i'n trin fel hyn. Fatha ein bod ni ddim yn bobl efo teimladau, yn ddim ond anifeiliaid. Mynnodd Llgada Mawr 'mod i'n codi a pharhau efo 'ngwaith, ond fedrwn i ddim. Roedd unrhyw gryfder oedd yn fy nghorff wedi llifo allan drwy'r briwiau. Maen nhw wedi fy nghau innau yn y seler bellach.

Ddylwn i fod yn ddiolchgar nad ydw i'n gweithio, ond dwi'n methu ymlacio. Mae'r ofn be fydd yn digwydd nesaf fel cnonyn yn bwyta tu mewn i mi. Dim ond mymryn o fwyd a gaf, a dwi'n teimlo'n benysgafn. Dwi ddim wedi arfer rhythu ar ddim byd yn y modd hwn. Dwi'n cyfri'r creithiau ar fy nwylo a'm breichiau, ac yn gweld fel mae'r croen wedi caledu fel croen hen ferch.

Yna dwi'n 'studio fy ngwisg, a'r gwlân sydd wed'i nyddu. Dydi gwlanen ddim yn ddefnydd braf ... Mae o hefyd yn crafu.

Ond dyma rydym wedi'i wisgo erioed yma, dillad caethweision ydyn nhw. Maen nhw'n rhoi'r gwisgoedd inni, dwy ohonynt, a dyna rydan ni'n ei wisgo am flwyddyn gyfan. Pan ddaw'r flwyddyn i ben, cawn set newydd o wisgoedd – yr union yr un lliw, yr union yr un fath.

Dwi'n ceisio cofio sut deimlad ydoedd i wisgo unrhyw beth arall, a dydw i ddim yn cofio.

Mae gen i dwll ar ochr dde fy ngwisg a dwi wedi ceisio ei frodio, ond mae'n breuo eto. Dydi'r edau oedd gen i ddim yr un lliw â'r wisg. Tybed bysedd pwy ddaru greu'r wlanen yma? Ai caethweision oeddent hwythau? Pwy dorrodd y defnydd a'i wnïo'n wisg – ai caethweision? Mi fyddwn yn cyfnewid fy ngwaith yn y caeau am waith yn gwnïo dillad.

Roedd rhywbeth reit braf am y syniad o eistedd yn trin nodwydd ac edau, falle yng nghwmni gwragedd eraill. Ond mae'n siŵr y byddai honno yn dasg undonog yn y pen draw. Byddai gwneud unrhyw beth drwy'r dydd, bob dydd, yn troi'n ddiflastod – yn enwedig o beidio cael cyflog.

Mae'r Gwynddyn yn gwisgo dillad gwahanol. Ar yr adegau prin y gwelaf ei deulu, maen nhwythau efo gwisgoedd del. Cotwm ysgafn yw ei dillad hwy, o liwiau amryliw. Dwi'n cofio gwisg Hagar, yn felyn efo cylchoedd du ... Rhaid bod cyfnod pan nad dillad caethwas oedd y peth agosaf at fy nghroen.

I dorri ar fy myfyrdod, clywaf sŵn traed y tu allan i'r seler. Mae gen i ofn.

"Pwy sydd 'na?" sibrydodd llais yn y tywyllwch.

"Fi – Eboni."

"Eboni? Tithau'n hogan mor dda. Braidd yn ifanc i fod yn fan hyn, dwyt?"

Adroddais beth ddigwyddodd.

"Mae 'na sôn am ddianc," meddai'r llais.

"O'r seler?"

"O fan hyn, o'r blanhigfa."

Roedd clywed hyn fel tase rhywun wedi fy nghicio yn hegar yn fy stumog. Dianc? Dianc fel ddaru Joni Gonar? Be oedd yn bod arnynt?

"Dianc, a pheidio dod 'nôl – byth. Dyna lle'r aeth Joni Gonar yn rong."

"Dim dewis cael ei ddal wnaeth y creadur."

"Tasan ni'n dianc, fasan ni ddim yn cael ein dal."

Ac yn rhywle yn fy mhen, ddaru'r geiriau ganfod noddfa. Dianc – a – pheidio – dod – 'nôl ... ac ro'n i eisiau eu clywed nhw eto, a chlywed fi'n hun yn meiddio eu dweud, achos roedden nhw'n eiriau mor waharddedig, ro'n i ofn iddynt losgi fy ngwefusau wrth i mi eu hynganu. Ro'n i eisiau chwarae efo nhw, sipian nhw, chwythu nhw allan fel swigod ... Dianc ... Achos, taswn i'n bod yn onest, dyna'r unig beth oedd yn gwneud synnwyr.

MELYS

Dwi'n ôl yn y caeau yn torri'r gansen, ac mae'n waith mor gyfarwydd, dwi'n teimlo mai dim ond fel hyn y gall fy nghorff symud bellach. Torri, torri, torri. A dwi wedi gwneud hyn am gymaint o amser bellach, dwi'n trio meddwl faint o gansenni ydw i wedi'u torri?

Ac i le gebyst y mae'r stwff yma'n mynd? Mae cymaint ohonom yn gwneud yr un gwaith drosodd a throsodd, siawns fod yna ryw bendraw iddo? Ond yn y caeau nesaf, maent yn plannu mwy ohono. Pryd gaiff y byd syrffed o siwgr?

Dydyn ni ddim yn ei fwyta, felly rhaid nad ydi o'n hanfod bywyd. Mae modd byw hebddo. 'Nôl dwi'n ei ddeall, mae pobl yn ei gymryd, lwyaid ar y tro, i felysu cwpanaid o de neu goffi. Dyna'r ddiod newydd ers rhai blynyddoedd mewn gwledydd gwell na fan hyn. Ond os mai fesul llwyaid maen nhw'n ei gymryd, dwi'n dychmygu faint o filoedd o filiynau o bobl sydd yn y gwledydd hyn, bob un â'i gwpan, bob un â'i lwy fach ... rhaid bod y byd yn lle mawr.

Dywedodd Phibah eu bod yn defnyddio'r stwff yn y Tŷ Mawr. Mae hi wedi'i flasu ond dydi ddim yn ei hoffi. Mae'n fwy melys na bananas, nag unrhyw ffrwythau mae hi wedi'u blasu. Dydi o'n ddim i'w gymharu â mêl. Nid cwpanau fel ein rhai ni sydd gan bobl y Tŷ Mawr, meddai hi. Maen nhw efo cwpanau bregus efo clust i'w dal. Maen nhw'n rhoi soser dan y gwpan i ddal diferion. Maen nhw'n torri'n hawdd. Leciwn i weld un.

Dwi'n meddwl mor agos ydi'r Tŷ Mawr i'n tai ni, a mor wahanol yw ei bywydau nhw i'n bywydau ni.

BWYD

Gyda'r nos, wrth fwyta, ydi'r un o'r 'chydig gyfleoedd a gawn i gymdeithasu. Does yna fyth ddigon o fwyd i'n digoni ac mae yna rai sydd wastad yn manteisio. Mae pawb mor llwglyd pan ddaw'n amser bwyd fel nad oes fawr o siarad, ond daw amser wedyn.

Dydw i ddim yn cofio prydau bwyd yn y Wlad Cyn Cof, ond dwi'n lecio clywed y rhai hŷn yn disgrifio'r bwyd a gaent yn Affrica, a chymaint gwell oedd y bwyd yno – 'bwyd go iawn', yn lle'r hyn rydym yn gyfarwydd ag o yma. Dwi'n holi beth oedd yn ei wneud yn 'go iawn', ac maen nhw'n sôn am lysiau anghyfarwydd, a sut oedd ansawdd gwahanol a blas arnynt. Mae eu llygaid yn bywiogi dim ond wrth gofio'r bwyd yma. Weithiau, byddant yn dwyn i gof wledd briodas a gawsant neu fwyd ar ddydd gŵyl, ac mae hynny'n dod â dagrau i lygaid rhai. Dwi innau hefyd yn hiraethu! Rhyfedd ydi hiraethu am rywbeth na chefais i fawr ohono. Ond mae o bron yn gof llwythol yr ydw i eisiau ei rannu efo nhw, er mai 'mond ei ddychmygu fedra i. Mae llawer yma 'rioed wedi bod yn agos at Affrica, llawer wedi'u geni yma, yn drydedd neu'n bedwaredd cenhedlaeth, ond mae'r hiraeth ynom i gyd am y Wlad Cyn Cof.

Mae cymysgedd o bobl yma, o dras isel ac uchel, ac mae rhai o'r rhai sy'n cofio Affrica'n dweud na chawsant hwythau erioed brofi'r bwyd ecsotig a ddisgrifir. Ond roedd y bwyd cyffredin a gaent efo mwy o flas arno na'r hyn a gawn i'w fwyta yma. Dynwarediad go dila ydyw o fwyd ein hatgofion.

Yma, does 'na ddim gwreng a bonedd. Mae pawb ar yr un lefel â llygod mawr. Ond yn y pethau bach mae cefndir rhywun yn ei amlygu ei hun, y ffordd maen nhw'n sôn am eu harferion bwyta, y ffordd maen nhw'n siarad weithiau, neu'r ffordd maen nhw'n dal eu hunain wrth gerdded. Dwi'n meddwl 'mod i'n ffodus nad ydw i'n cofio bwyd yn yr Amser Cyn Cof. Byddai blysio am rywbeth da na chaf i mo'i brofi byth eto'n beth poenus tu hwnt.

HAPUSRWYDD

Wnes i chwerthin heddiw. Roedd Clara'n casglu'r llestri yn un pen o'r bwrdd, a minnau'n eu casglu yn y pen arall. Daethom â'r ddau bentwr at ei gilydd, a bu bron inni ollwng y cyfan ar lawr! Ro'n i'n meddwl ei bod hi'n eu dal nhw, a hithau'n meddwl mai fi oedd am wneud. Am eiliad, dyma ni'n edrych, y naill ar y llall, mewn arswyd pur. Ond pan sylweddolwyd y camgymeriad, dyma'r ddwy ohonom yn eu dal yn dynn! Mewn rhyddhad falle, chwarddodd y ddwy ohonom yn harti, a dyna oedd profiad od. A roedden ni'n methu stopio. Trodd eraill i edrych arnom, a gwenu. A dyma sylweddoli cymaint o amser oedd wedi mynd ers i mi chwerthin yn harti.

Ew, roedd o'n deimlad braf. Mae byw heb chwerthin yn ffurf greulon ar gaethiwed.

Dylai pawb fod yn rhydd i chwerthin.

IAITH

Pan gawsom ein lluchio i mewn i'r Hunllef driphlith draphlith, dwi ddim yn cofio lot o siarad. Doedd pobl ddim yn deall iaith pobl eraill, achos ein bod ni'n dod o wahanol lefydd. Dwi'n meddwl ein bod mewn gormod o sioc i siarad. Ond ro'n i'n gallu siarad efo Hagar, ac roedd eraill o'r un llwyth â ni. Doedd dim angen deall beth oedd y Dyn Gwyn yn ei ddweud yn yr Hunllef – fydde fo ddim yn defnyddio iaith efo ni – 'mond ein gwthio ymlaen, ein troi, ein taro. Pan fyddai'n gweiddi, deall y dirmyg a'r casineb a wnaem.

Yn raddol, daethom i ddysgu iaith y Dyn Gwyn. Wrth glywed yr un gorchymyn bob dydd, mae rhywun yn dod i ddeall yn ddigon sydyn. Dydi o ddim yn gyfathrebu ar lefel gymhleth. A dwi'n trio meddwl sut y daethon ni, y caethion, i ddeall ein gilydd, ond mi ddigwyddodd. Roedd o fel tasen ni wedi rhoi geiriau ein gilydd mewn crochan a'u troi'n ofalus am amser maith, a dod i ryw ddealltwriaeth. Ond efo'r caneuon, roedden ni'n deall rheini o'r cychwyn. Does 'na ddim byd tebyg i ganu i ddod â phobl at ei gilydd. Ers talwm, canu am ein bod yn hapus oedden ni, i ddathlu, i ddiolch. Ond hyd yn oed pan nad oes dim i'w ddathlu nac i ddiolch amdano, mae pobl yma wedi dal i ganu. 'Dan ni'n canu i gysuro, i dawelu, i fynegi gwylltineb ac angerdd. 'Dan ni'n mynegi hiraeth ar gân, rydan ni'n rhoi alaw i obaith. Fedrwch chi wneud unrhyw beth efo cân. Tawelu babi neu annog rywun i ladd.

Fedrwch chi gofio, fedrwch chi helpu i anghofio. Weithiau, byddai rhywun yn canu ar ei ben ei hun, a byddem yn dysgu'r gytgan. Roedd yna ganeuon yn ateb ei gilydd. Roedd o'n ffurf ar gêm, yn fodd o wneud i amser fynd yn gynt. Yn raddol, daethom i ddysgu caneuon ein gilydd, nes gallu canu efo un llais.

OFN BE DDAW

Mae'r sôn am wrthryfela'n dal i ffrwtian. Dwi wedi dweud yn bendant nad oes gen i ddiddordeb, ond os bydd y blanhigfa'n chwalu, mi fydd rhaid i bawb gymryd y goes. Pawb drosto ei hun fydd hi wedyn, ac a helpo rhai fel Joni Gonar. Bydd rhaid sodro rhai fel fo mewn berfa neu rywbeth, a'u gwthio neu eu cario ymaith. Ond mae gen i ofn pan dwi'n meddwl amdanynt yn saethu atom.

SYNAU

Mae o wedi digwydd eto – dwi wedi bod yn ôl yn y Wlad Cyn Cof drwy gyfrwng breuddwyd. Rhyfedd mor gryf ydi'r atgof. Deffrois cyn pawb arall, ac roedd hi'n anarferol o dawel. A rhwng cwsg ac effro, ro'n i rhwng deufyd. Ro'n i'n gallu clywed synau Adref mor glir. Cofio crawcian yr adar, cofio sŵn traed Mam ar y llawr. Sŵn paratoi bwyd, sŵn llestri. Tybed, os byth y bydda i'n fyddar, fydda i'n gallu dal gafael ar y synau hyn? Achos maent yn ffynhonnell gysur ddi-ben-draw.

Mae yna bethau na allaf eu dwyn i gof – llais Mam neu Dad – mae hwnnw wedi mynd. Dwi'n cofio llais Hagar yn eglur. Ond mae hwnnw efo fi'n barhaus, wedi'i losgi ar fy enaid, fel y marc caethwas ar fy nghroen. Wnaiff hwnnw byth fynd.

Ben bore bach, pan nad ydi'r byd wedi deffro eto, ar y llwybr maith hwnnw o Dir Cwsg – dyna'r amser gorau i glywed synau Adref.

LLANAST O DDIWRNOD

Llanast o ddiwrnod. Popeth yn torri lawr. Wedi meddwl cymaint am sut fyddai Dydd Rhyddid yn dod, ro'n i wedi meddwl mai un digwyddiad sydyn fyddai o. Ond cyfres o sibrydion ydyw, a does dim trefn.

Beth bynnag, nid digwyddiad mawr sy'n aros yn y cof am y diwrnod hwnnw, dim ond un trasiedi arall.

Fuo Maia ddim yn iawn ers iddi gael ei chwipio. Roedd y golau wedi diffodd y tu mewn iddi. Roedd hi'n dal i orfod dod i'r caeau, ond doedd hi'n dda i ddim, ac yn y diwedd, gafodd hi ei rhoi yn y Tŷ Mawr i wneud tasgau yn y gegin. Roedd Fortune druan yn dal i weithio efo ni, ond roedd o'n amlwg yn poeni ei enaid.

"Dydi Mam ddim yn iawn," medda fo un dydd, ac mi wnes i gytuno efo fo. I be awn i wadu rhywbeth oedd mor amlwg? Cawn beth o'i hanes gan Phibah, ond doedd yr hyn a glywn ddim yn argoeli'n dda.

Yna daeth y dydd pan ddaeth Lydia ataf a dweud bod Maia wedi geni'r babi, ond bod pethau wedi mynd o chwith. Fuo'r babi ddim byw yn hir, a bu Maia bron â marw. Buom ar ddihun drwy'r nos yn siantio ac yn crefu ar y duwiau i'w harbed. Ond yn y diwedd, ddaru hi ddianc o'r byd hwn at ei babi, a falle mai dyna oedd y peth gorau, dim ond bod Fortune wedi'i adael yn amddifad, ac roedd gweld y gwacter yn ei lygaid ifanc yn brifo'n fwy na dim. Chlywais i mohono'n chwerthin wedyn.

Be ydi'r pwynt geni plant i'r lle yma?

Y DIWRNOD OEDD I FOD YN DDYDD RHYDDID

Rhuthrodd Nero ataf. “Eboni! Maen nhw’n dod! Eb-on-i!”

Ro’n i ar fy ngliniau yn y cae, newydd glywed am Maia druan, a doeddwn i ddim eisiau i neb weiddi arna i na rhedeg ataf. Do’n i ddim eisiau symud – fedrwn i ddim, roedd o fel petawn wedi fy ngwreiddio i’r ddaear. Peth felly ydi gofid. Rydach chi’n lapio eich hun yn grwn, fel taech chi eisiau mynd yn ôl i’r groth. Mynnodd Nero ’mod i’n edrych arno. Yn llygaid Nero, roedd rhyw gynnwrf rhyfeddol, a synhwyrais fod tua deg ar hugain o ddynion a merched yn rhedeg ar draws y cae. Na, roedd mwy, roedd hanner cant ohonynt.

“Tyrd ... ddaru ti ddweud ...”

Roedd mwy fyth o bobl yn rhuthro heibio.

“Mae’n digwydd, Eboni, mae o wedi digwydd.”

Wyddwn i ddim am be roedd o’n sôn. Ro’n i jest eisiau iddo adael llonydd i mi.

Daeth Nero ataf ac eistedd ar ei gwrcwd. “Beth sy’n bod? Ti fel doli glwt ...”

“Maia sydd wedi marw,” meddwn, ac wrth glywed fy hun yn dweud y geiriau, roedd fel petawn yn adrodd rhyw hen, hen felltith. Teimlais ddagrau’n cronni yn fy llygaid, a thorrais i lawr yn llwyr. Rhoddodd Nero ei fraich amdanaf.

“Mi wna i dy gario di, Eboni ... unrhyw beth i’th gael o fan hyn. Mae rhaid mynd yn syth.”

"Dos, Nero ... gad i mi fod – dos. Dwi'm eisiau ..."

Gafaelodd yn fy mraich.

"Mae'n *rhaid* i ti ddod!"

"Dwi'm eisiau gadael Fortune."

Wna i byth anghofio wyneb Nero, y boen a fynegodd, y brifo a'r pryder. Tra oedd o'n sylweddoli nad oedd symud arna i, sylweddolais innau 'mod i'n golygu mwy iddo nag a feddyliais erioed.

"Dos, Nero!"

Ac mi aeth, a chofiaf syllu ar ei gefn a gwybod na faswn i byth yn ei weld eto.

A Dydd Rhyddid neu beidio, wnes i adael i'r holl draed yna, cannoedd ohonynt, redeg heibio i mi. Ro'n i'n dal yn sownd yn y ddaear, ond roedd popeth wedi newid.

LLANAST

Llanast oedd diwedd y dydd ddylai fod wedi bod yn Ddydd Rhyddid. Mae cymaint wedi'u lladd, ac mae eu cyrff yn crogi hwnt ac yma ar byst. Rhai wedi'u crogi gerfydd eu hasennau. Mae eu harogl yn drewi'r lle, ac mae yna arogl arall yn ein ffroenau. Dwi'n siŵr mai arogl gwaed ydi o. Mae gen i gymaint o ofn, a fedra i ddim cysgu.

Nid neb o fan hyn ddaru gychwyn pethau. Pobl yn Monkey Point oedd wedi cyrraedd pen eu tennyn ac wedi cael eu traed yn rhydd. Aethant i fwy nag un blanhigfa a chychwyn gwrthryfel yno. Roedd o fel corwynt yn mynd o un lle i'r llall, ac mi gyrhaeddodd lle ni. Bydd yna hen ddial rŵan.

Maen nhw'n mynnu ein bod ni, y gweddillion, yn bod yn dyst i bob cosb a gweithred o ddial. Ac os ro'n i'n meddwl fod y Gwynddyn yn wael o'r blaen, mae o ganwaith gwaeth rŵan. Mae fel ci'n dioddef o'r gynddaredd, a phoer gwyn yn ei geg. Y sôn ydi fod Titus a Nero wedi'u lladd, ynghyd â thua chant arall. Dwi mewn sioc. Dwi ddim hyd yn oed yn crio. Dwi fel taswn i'n stopio fy hun rhag teimlo.

Roedd Hanibal yn gwbl ddieuog, ddaru o ddim cymryd rhan yn y brotest o gwbl, ond dim ots ganddyn nhw. Roedd nifer o fwyeill a chyllyll wedi mynd, a fo gafodd y bai. Fe'i llusgwyd i'r sgwâr, a ninnau i'w ganlyn, ac roedden ni'n aros am sŵn y chwip, ond ni ddaeth. Dwi'n ceisio rhagweld unrhyw ddioddefaint ond ddaru mi erioed ragweld yr hyn oedd i ddod y tro hwn. Rhoddwyd Hanibal ar ei gefn ar y llawr, a dyma dau o'r Llgada Mawr yn ei orfodi i agor ei geg. Llusgwyd Roger i sefyll uwch ei ben, Roger o bawb, a thynnwyd ei drowsus.

"NAAA!!!!" bloeddiodd Roger yn herfeiddiol, a chafodd chwip ar draws ei wyneb. Pan ddisgynnodd ar y llawr, fe'i chwipiwyd yn ddidrugaredd nes bod golwg erchyll arno. Doedd o'n ddim ond cig amrwd. Llusgwyd Sancho ymlaen wedyn, a'i ddinoethi. Gallwn ei weld yn crynu. Mae beth ddigwyddodd nesaf bron rhy ffiaidd i mi ei adrodd. Bu raid i Sancho gwrcwd uwchben pen Hanibal a chachu yn ei geg. Plygais fy mhen mewn cywilydd, dros Sancho, dros Hanibal, dros bob copa walltog ohonom. Roedd y Gwynddyn wedi ein sarhau i gyd.

Gorfodwyd ni i godi'n pennau a doedd wiw inni gau ein llygaid. Pan lusgwyd Sancho ymaith, rhoddwyd rhwym ar geg Hanibal fel na allai boeri'r baw allan. Gosodwyd gefynnau ar ei arddyrnau a'i draed a'i glymu wrth bostyn. Aeth pedair awr hir heibio cyn iddyn nhw dynnu'r rhwymyn oddi ar ei geg.

Pa fath o anifail sy'n cosbi dyn yn y modd yna?

YR ORIAU OLAF

Mae Phibah yn wael, yn ddifrifol wael. Pan fu'r trwbwl, daeth y Gwynddyn drwy'r gegin efo'i wn, a gwibio heibio Phibah fel roedd hi'n dod â dŵr poeth oddi ar y tân. Tasgodd y dŵr berwedig dros ei breichiau noeth, ei hwyneb a'i bron. Fe'i llosgwyd yn ddifrifol, ond y sioc sydd wedi effeithio arni fwyaf. Dydw i ddim yn mynd i'r caeau heddiw, mae fwy o f'angen ar Phibah.

"Brifo," meddai'n floesg. Mae ar ei chefn ar y llawr yn ei chwt, a chyfnas drosti.

"Dwi'n gwybod, Phibah. Does gen i ddim i'w leddfu."

Dywed Phibah wrthyf lle i gael y dail fydd yn 'smwytho, a pha eli i'w baratoi, ond yn ofer. Mae ei meddwl yn ôl yn Affrica, ac mae dan yr argraff mai mater syml ydyw o bicio allan i nôl y planhigion. Roedd Adref yn llawn gwyrddni a thyfiant llesol, a mwy na digon i'w gael. Mae fan hyn ymhell tu hwnt i wareiddiad, a dim ond siwgr sy'n tyfu yma. Rydan ni wedi peri i'r Ddaear ddigio efo ni, ac mae'n sych a hesb.

"Dŵr," meddai, ac mi rown unrhyw beth am gael help cymdogion i'w chludo i Ddyffryn Aida a lleddfu ei chlwyf. Ond mae hwnnw yn nhir Ddoe, ac yn rhy bell inni ei gyrraedd. Does gen i ddim i'w gynnig iddi.

Troedio'n anniddig rhwng cwsg ac effro wna Phibah am weddill y bore. Fedra i wneud dim ond cadw cwmni iddi, ac eistedd fel delw wrth ei hochr. Mae ochr fy llawes wedi raflio, a dwi'n tynnu ar yr edau rhydd. Wnes i drio ei glymu wythnos dwytha fel nad oedd yn datod mwy, ond dwi'n gadael i'm bysedd segur chwarae ag o. Sylwaf ar wead y defnydd a sut mae wedi breuo. Arferai fod yn stiff a thrwchus, ond mae misoedd o wisgo dyddiol wedi gadael ei ôl.

"Eboni? Gaf i lymaid o ddŵr?"

Does gen i ddim diferyn i'w roi iddi. Doedden ni ddim i fod yn agos at y cytiau yn ystod y dydd.

"Dŵr ... 'mond mymryn ..."

Mae ei gwefusau'n sych a'i thafod fel tywod. Bydd rhaid i mi gael peth iddi.

"Phibah, dwi am dy adael am 'chydig bach. Fydda i yn ôl mewn chwinc - ac mi fydd gen i ddŵr, dwi'n addo."

Gwn lle bydd yna ddŵr. Mae'n golygu mentro, ond dydw i ddim am eistedd yno'n ddiymadferth yn gwylio Phibah yn dioddef. Mi fentraf i'r Tŷ Mawr a gofyn am ddŵr iddi, ond dydw i erioed wedi mentro yno o'r blaen. Mae gen i ofn am fy mywyd, ond does gen i'r un dewis. Gyda'm calon yn fy ngwddf, dwi'n curo ar y drws. Mae merch ifanc yn ei agor, a dwi'n synnu at y graen sydd ar ei dillad ... a'i barclod gotwm wen.

"Ddylech chi ddim bod yma," meddai mewn syndod.

"Ydych chi'n nabod Phibah?" gofynnaf.

"Dydi Phibah ddim yma, mae hi'n sâl."

"Dwi'n gwybod, fi sy'n gofalu amdani. Mae hi'n byw wrth ein hymyl."

Mae wyneb y ferch yn newid. Mae'n edrych o'i chwmpas, ac yn gostwng ei llais,

"Sut mae'r greadures?"

"Dydi hi ddim yn dda. Mae hi angen dŵr a does gen i ddim i'w roi iddi."

"Rwyt ti'n mentro. Aros yma, a mi gaf i weld os gallaf gael peth. Tyrd â dy lestr yma."

Dyna sut ydw i'n canfod fy hun yn sefyllian tu allan i'r Tŷ Mawr, a chlywaf lais plentyn y Gwynddyn, ac yna'r un llais yn griddfan mewn poen.

"Dyna ti, un, dau, tri!"

"Na, na, Misi, na – dim brifo. Aw! Aw!"

Yn bryderus, rwy'n edrych drwy'r gwrych, ac yn synnu at yr olygfa. Merch fach sydd yno, merch groenwyn efo gwallt aur wedi'i glymu mewn rhubannau pinc. Ai hon ydi merch y Gwynddyn? Mae ei dillad yn fendigedig, a phopeth o'i chwmpas yn nodi ei bod yn un freintiedig. Yr hyn barodd ddychryn i mi oedd y doliau yn ei llaw – doliau bychan a'r rheini wedi'u gwisgo'n foethus. Yr oedd wedi trochi un ohonynt mewn inc, a hon gâi ei churo. Gwatar ei loes wnâi'r plentyn.

"Misi, na na!"

"Rwyt ti'n ferch ddrwg, rhaid i mi dy guro!"

"Aw, aw!"

"Hei!"

Y forwyn fach oedd yno, efo'r llestr dŵr.

"Dyma ti – dwi wedi'i lenwi. Hegla hi o'ma rŵan, cyn i rywun dy weld. A chofia fi at Phibah. Roedd beth ddigwyddodd iddi'n ofnadwy. Deliah ydi'r enw ..."

"Diolch, Deliah."

I ffwrdd â mi, ond fedra i ddim anghofio'r ferch fach a'r doliau. Roedd yn union fel un yn chwarae gyda doliau fŵdw, ac yn rhoi melltith ar y ddol ddu. Roedd wedi chwalu fy syniad o ddiniweidrwydd plentyn.

Wrth fynd heibio'r stablau, gwelais un o'r Llgada Mawr, yr un oedd yn fy ngham-drin, yn llusgo Prue y tu ôl iddo, a honno'n anfoddog. Bu bron i mi ollwng fy llestr wrth iddo ddod ataf. Holodd be ro'n i'n ei wneud yno, a dywedais wrtho.

"Mi fedrwn dy chwipio am hynny," meddai efo gwên lydan bwli, gan syllu arnaf o'm corun i'm sawdl, a'm dilyn i'r cwt. Roedd yn dal i afael yn Prue. Stopiais uwchben lle roedd Phibah yn gorwedd.

"Ofn iddi farw sydd gen i."

"Twt, does fawr mwy i'w gael o beth mor hen. 'Mond esgyrn ydi hi ... Sbia peth handi dwi wedi dod o hyd iddi," a haliodd Prue tuag ato.

Edrychais ar y llawr mewn cywilydd.

"Sbia ddeudais i!"

Bu raid i mi edrych ar Prue, gan wybod yn iawn beth oedd o'i blaen. Gallwn deimlo dagrau'n cronni yn fy llygaid.

"Dipyn delach na ti, dydi?" a chwarddodd wrth fynd oddi yno.

Wrth ddod yn ôl i'r lle cysgu, roedd fy llygaid yn cael trafferth i gynefino â'r tywyllwch.

"Phibah ... dwi'n ôl ... Phibah ..."

Wrth i mi benlinio wrth ei hymyl, sylwais fod y dwymyn wedi gwaethygu, ac roedd Phibah yn troi a throsi'n anghyfforddus. Roedd yn amlwg na fyddai byw yn llawer hwy. Gwlychais ei gwefusau crimp, ond roedd yn rhy wan i'w yfed. Defnyddiais y dŵr i olchi ei breichiau a'i thalcen. Wrth ei golchi, adroddais straeon, ambell rigwm a hen, hen ganeuon. Ac yn raddol, tawelodd. Roedd yn braf teimlo 'mod i'n gallu lleddfu peth ar ei chur.

"Cofia fi at Masego."

"Mi wna i."

"A dweud fod yn ddrwg gen i – 'mod i wedi bod i ffwrdd gyhyd ..."

"Mi wna i."

Bu bron i mi neidio o'm croen pan agorodd drws y cwt a gwelais un arall o'r Llgada Mawr yn sefyll yno.

"Be ddiawl wyt ti'n wneud yma?"

"Phibah sy'n wael."

"Saf ar dy draed pan ti'n siarad efo mi."

Codais.

"Phibah sy'n sâl, syr."

"Hon? I be wyt ti'n gwastraffu amser efo peth fel hyn?"

"Dwi ofn iddi waethygu, syr."

"Gwastraff o amser ydi hyn, a chymaint i'w neud. Mi rof i ddiwedd ar ei phoen," a thynnodd ei chwip a tharo Phibah ddwywaith neu dair.

"Peidiwch!" gwaeddais, heb feddwl.

Rhewodd y dyn, a gafael ynof gerfydd fy ngwddf.

"Beth ddeudais ti, yr ast?"

Ymddiheurais, ond yn ofer. Roedd wedi cael gafael arnaf, a doedd o ddim am adael i mi fynd heb fy sarhau ymhellach. Cododd fy ngwisg a'm treisio yn y fan a'r lle.

"Dos yn ôl i'r caeau, yr hwch bowld," meddai'n giaidd. "Ac os gwela i ti'n gwastraffu dy amser ar hen sgerbwd fatha hon eto, mi gei dy guro mor ddrwg, fydd neb yn dy nabod."

Un o'r pethau anoddaf fu raid i mi wneud yn fy mywyd oedd cerdded allan o'r cwt dan lygaid y dyn, a gadael Phibah i'w thynged.

SYLWEDDOLIAD

Dwi'n trochi fy hun mewn meddyliau cysurlon heddiw, mae 'nghorff yn crefu am gariad. Meddwl am Mam yn rhoi coflaid i mi, meddwl am Dad yn fy nhroi rownd a rownd. Meddwl am yr awr honno cyn clwydo pan fyddai Mam yn canu alaw i mi, ac yna'n rhoi cusan nos da, a'm dal yn dynn. Pan dwi'n cofio'r pethau hyn, dwi'n atgoffa fy hun fod yna gariad yn y byd, nad ydi o i gyd fel fan hyn. Dwi'n meddwl am y bobl dda yr ydw i wedi'u nabod, a phobl o'm cwmpas sydd efo calonnau hael ac a fyddai'n rhannu unrhyw beth gyda mi. Nid pawb, wrth gwrs, ond mae caredigrwydd yn rhinwedd sy'n disgleirio'n fan hyn.

Ro'n i allan yn y caeau heddiw ac yn gwylio Fortune yn ceisio ei orau i ddal i fyny efo ni. Mae o'n hogyn bach mor benderfynol. Ond ar yr un pryd, dwi eisiau ei warchod. Wnes i fwytho ei ben, ond symud oddi wrthyf wnaeth o heddiw. Siŵr ei fod o'n ystyried mwythau'n bethau plentynnaidd rŵan, ac yntau mor hen â chwech oed. Mae plant yn caledu mor gyflym yn yr awyrgylch yma. Ond dydi o ddim yn syndod – hanner y plant gaiff eu geni yma sydd yn goroesi. Maent yn deall sut mae pethau'n sydyn iawn, fel petaent yn sylweddoli mai caethwasiaeth sy'n eu haros yn y byd hwn, wedyn maen nhw'n sleifio ohono'n dawel fach. Maent yn dewis y ffordd rwydd, ac yn diflannu. Llawn gwell iddyn nhw geisio eu lwc yn y byd nesaf. Gamp iddo fod yn waeth na hwn.

Dro arall, mi all Fortune fod yn berffaith barod i gael coflaid. Pan dwi'n eistedd tu allan i'r cwt ambell noson, dim ond y fi a'm meddyliau, daw Fortune draw, closio ataf, a gadael i mi roi coflaid iddo. Weithiau mi wnaiff afael yn fy llaw, ond os daw rhywun arall heibio, mae'n gwahanu'n gyflym ac yn mynd yn ôl i fod yn Hogyn Mawr.

Fedra i ddim peidio â meddwl am Phibah heddiw, a falle fod hynny ond i'w ddisgwyl. Gobeithio ei bod hi'n cael siwrne iawn i'r byd nesaf. Mi fydd hi'n gofalu'n dda iawn am eneidiau rhai o'r plant coll. Tybed sut un fydd ei thaith hi? Dwi'n meddwl am fy nhaith erchyll i o un byd i fyd arall. Ni allai'r un daith fod cyn waethed â honno. A dyna pryd mae'n fy nharo.

Af i byth, byth yn ôl.

Oherwydd yr holl straeon a chaneuon a siarad am Ddychwelyd, am Ddydd Rhyddid, mae rhywun yn meddwl yn ei isymwybod y bydd yn mynd yn ôl i'r Wlad Cyn Cof. Ond twyll ydyw. Sut gallwn ni fynd yn ôl? Hyd yn oed pe llwyddem i ddianc, o ble fydden ni'n cael llong? Does yr un ohonom berchen llong – y Gwynddyn sydd pia'r rheini i gyd. Mae o mor syml â hynny. Dydw i byth am fynd yn ôl. Chaf i ddim gweld Dad a Mam a Nague fyth fyth eto. Mae sioc y sylweddoliad fel petai rhywun wedi lluchio dŵr oer trosof. Perthyn i'm gorffennol y maent. Does gen i ddim mwy o obaith gweld Dad a Mam na sydd gan Phibah druan o'm gweld i. Rydyn ni mewn bydoedd gwahanol.

A'r unig reswm rydan ni'n canu'r caneuon ac yn adrodd chwedlau am ddychwelyd ydi am fod y syniad o beidio yn rhy erchyll i'w ddirnad.

Y DARLUN

Fel ro'n i'n torri'r gansen y dydd o'r blaen, gwelais y peth rhyfeddaf fyw. Ro'n i'n meddwl 'mod i wedi gweld popeth oedd i'w weld yn y caeau yna, ond roedd hwn yn gwbl newydd.

Dyn oedd o, yn syllu arnom – dyn gwyn, ond doedd o ddim yn fygythiol o gwbl.

Roedd hynny ynddo'i hun yn ei wneud yn wahanol. Syllai arnom dan gantel ei het, wedyn rhoi ei ben i lawr. Gan nad oedd yn ein herlid, euthum ymlaen â'm gwaith, ond ymhen dipyn, roedd wedi symud ei stondin. O'i flaen roedd bwrdd mawr, ac roedd o'n marcio rhywbeth ar hwn. Mae'n siŵr mai ein cyfrif ydoedd – eto fyth. Mae rhywun o hyd yn ein cyfrif, rhag ofn fod rhywun wedi dianc.

"Wyt ti wedi sylwi ar y dyn yna?" holais Anna.

"Do, mae'n gneud rhywbeth efo pensil."

"Gobeithio nad yw'n arwydd o rywbeth sinistr ..."

Doedd neb yn gwybod beth oedd o'n da yno. Symudodd ei safle fwy nag unwaith, ac roeddem yn dyfalu pam oedd o mor hir yn cyfrif.

Fortune ddaeth â'r ateb yn y diwedd.

"Mae o'n tynnu llun," meddai'n gynhyrfus, "mewn lliwiau gwahanol."

Roedd hyn yn ddiddorol.

"Sut gwyddost ti?"

"Wnes i sleifio tu ôl iddo i gael gweld."

“Fortune! Gallet fod wedi cael dy chwipio am wneud! Beth welaist ti?”

“Mae ganddo frwsh a phaent ac mae wedi gneud llun y cae, a phawb yn gweithio ynddo. Roedd o’n edrych yn lle braf.”

Drwy’r pnawn wedyn, mi fûm yn dyfalu pam roedd Dyn yr Het wedi gwneud y fath beth. Roedd o’n syniad od fod delwedd ohonof i wedi’i chymryd a’i rhoi ar ganfas. Pam? oedd y cwestiwn dyrys. Dywedodd Phibah a Lydia sawl gwaith fod lluniau o bobl ar y wal yn y Tŷ Mawr, a’u bod yn union fel petai’r bobl o fewn y ffrâm, a weithiau byddai lluniau o lefydd. Ond pwy yn y byd fyddai eisiau lluniau ohonom ni? Ac roedd Fortune wedi dweud ei fod yn edrych yn lle braf.

Edrychais o’m cwmpas. Sut oedd meddwl am hwn fel lle braf? Falle taswn i’n cael eistedd i lawr a gorffwys, y byddwn i mewn lle i farnu. Falle tase gen i fwyd yn fy mol, gallwn feddwl am rywbeth arall. Petase gen i fy nheulu adref yn aros amdanaf, byddai gen i rywbeth i edrych ymlaen ato. Tasen nhw ddim wedi lladd a chwipio cymaint ohonom, fyddwn i ddim mor llawn chwerwder a rhwystr. Tase gen i ryw reolaeth dros fy amser fy hun, falle gallwn edrych ar y lle’n wahanol.

Yn y diwedd, edrychais ar yr olygfa, a’r cwbl a deimlwn oedd syrffed. Na, fasa fo byth yn gwneud llun da i edrych arno. Fasa neb eisiau rhoi llun o fan hyn ar wal eu cartref.

Trois i edrych eto. Roedd Dyn yr Het wedi mynd.

BYWYD NEWYDD

Daeth bywyd newydd i'n plith yn oriau'r nos. Mae Dinah wedi rhoi genedigaeth i ferch, ac mae'r ddwy'n iach. Cefais fynd i'w gweld ben bore, a dal y fechan – ac mae'n berffaith. Dido yw ei henw. Ond bydd y Gwynddyn yn dewis ei henw-am-oes, a dyna sut caiff ei nabod.

Wrth syllu arni, rhyfeddais mor fychan oedd ei bysedd a bodiau ei thraed. Nid oedd yn agor ei llygaid. Ond ro'n i'n meddwl peth mor od oedd fod hon yng nghroth ei mam rai oriau yn ôl, ac mae hynny'n wyrth. Syrthiais mewn cariad â hi yn syth.

A dyma fo'n fy nharo'n sydyn – dyma sut brofiad oedd o i Mam pan gefais i fy ngeni. Yn union fel hyn roedd Mam yn edrych arna i, a Hagar falle yn gafael yn fy llaw. Mi wnaeth hynny fi'n ddigalon, a dyma wthio'r darlun i ben draw'r cof.

Ac yna, dyma feddwl amdanaf i fy hun yn fam, a meddwl am Dido yn ferch i mi. Dydi o ddim yn amhosib. Sut faswn i'n teimlo? Y syniad cyntaf ddaeth i mi oedd ofn. Ofn bod yn gyfrifol am fywyd fel hwn, a meddwl mor ddiamddiffyn faswn i'n teimlo. Ond tase gen i rywun wrth law i fy helpu, falle byddai pethau'n iawn. Falle byddwn i'n gallu ei wneud.

Faswn i byth yn gwbl unig wedyn, fasa gen i rywun yn gwmni i mi. Fasan ni'n tyfu efo'n gilydd, a mi fyddwn yn ei magu a rhoi fy holl gariad iddi.

A wedyn, dyma fi'n meddwl am garu rhywun yn fwy

na dim arall – a rhoi'r cyfan oedd gen i iddi. A'r tristwch wedyn pan fydden nhw'n cymryd y plentyn oddi wrthyf, i'w werthu'n gaethwas i rywun arall. Does yna ddim tristach na hynny.

Ond mae o wedi digwydd i gymaint dwi'n eu nabod. Un peth ydi cael dy gymryd oddi wrth dy dylwyth. Cam arall ydi bod nhw'n berchen arnat, ac nad oes gennyt unrhyw hawliau.

Ond pan mae'n nhw'n dwyn ffrwyth dy groth oddi arnat, a'i werthu er mwyn elw iddyn nhw eu hunain, dyna'r peth mwyaf ffiaidd fedran nhw ei wneud. Does yna ddim parhad wedyn, maen nhw wedi torri dy linach – am yr eilwaith. A phob dydd am weddill dy fywyd, rwyt ti'n teimlo'r galar a'r golled yna, bob bore o'r newydd.

Deffrodd Dido ac agor ei llygaid.

HELP I CHWYNNU

Bob hyn a hyn mae'r Gwynddyn yn canu cloch ac mae hynny'n datgan ei bod yn ddydd Sul. Yn eu trefn nhw, mae Dydd Sul yn digwydd yn rheolaidd, ac maen nhw o'r farn ei fod yn ddydd arbennig. Maen nhw'n mynd efo'i gilydd i eglwys lle maen nhw'n addoli, ac mae yna gwt lle 'dan ni'n gorfod mynd iddo. Pobl wyn sydd yn pregethu yn eglwys y Bobl Ddu hefyd, ond does dim Gwynddyn yn y gynulleidfa.

Ar y dydd Sul, dydyn ni ddim yn mynd i'r caeau, ond yn gweithio adref ar ddarn o dir sydd yn ein gofal ni, yn chwynnu ac yn hofio. Mae'n dal yn flinedig, ond dydi o ddim mor flinedig â'r caeau.

Daeth Quasha heibio Sul dwytha a rhoi bowlen o bys i mi.

"Pam ti'n rhoi rhain i mi, Quasha?"

"Gormod sydd gen i."

Gwyddwn fod hyn yn gelwydd ac edrychais yn amheus arno.

"Teimlo'n glên ro'n i."

"Eto?"

Roedd o'n teimlo braidd yn wirion erbyn hyn.

"Eboni ... Dweud be ga i ei wneud i dy blesio di ..."

"Helpu fi i chwynnu os wyt ti eisiau gwybod y gwir," medda fi.

A dyma fo'n gwneud! A tra oedden ni'n chwynnu, fuon ni'n siarad, ac roedd hynny'n braf.

Am ryw hanner awr neu fwy, ro'n i wedi ymlacio. A mae o'n deimlad mor glên pan mae rhywun yn gallu bod felly. Mae'r Gwynddyn llai yn y golwg ar ddydd Sul. Tydi rywun ddim yn gorfod edrych dros ei ysgwydd drwy'r amser. Mae pethau'n dawelach. A doedd gen i mo'r ofn parhaol yn troi yn fy stumog. Ew, fasa hi'n braf taswn i'n gallu teimlo felly drwy'r amser.

DOD YN ÔL

Mae o'n dal i ddod 'nôl i mi ar yr adegau mwyaf annisgwyl, er bod cymaint o amser wedi mynd. Er 'mod i'n ceisio ei sathru dan draed, mae'n ailgodi ac yn tyfu. Dwi'n cau fy llygaid yn dynn fel 'mod i'n ceisio gwasgu'r atgof o'm pen, ond mae'n gwybod 'mod i'n ymladd yn ei erbyn, ac mae'n gwybod ei fod yn gryfach na mi. Mwya'n y byd dwi'n ymladd, cryfaf yw'r delweddau.

Am nad ydyn ni'n cael siarad wrth weithio, mae rhywun ar ynys unig ei feddyliau, a phan ddaw ton o'r atgofion cas yma, maen nhw'n curo ar draethau fy mod mor ffyrnig nes dylifo drosto i, a 'ngorchuddio'n llwyr. Ac yng nghanol yr atgofion tywyllaf, mae Hagar mor anhepgor iddynt. Dwi eisiau ei gweld, ond nid dan yr amodau yma.

Gorwedd ar fy nghefn ydw i, yng ngwaelod Yr Hunllef, a hwnnw'n codi a gostwng, codi a gostwng efo ymchwydd y don. Mae'n cyd-fynd efo rhythm y pladur wrth i mi symud hwn 'nôl ac ymlaen. Ro'n i wedi cydio mor dynn yn ei gwisg, y defnydd melyn efo'r cylchoedd du, fel ein bod wedi ein rhoi nesa at ein gilydd ar y silff, ac roedd hynny'n fendith.

Dwi'n ôl yno rŵan, yn yr uffern waetha sy'n bod, efo sgrechiadau ac wylofain ac ochneidiau dwfn. Neb yn gwbod beth oedd yn digwydd, dim ond fod bywyd ei hun wedi dod i ben, a'n bod yn mynd ar ein pennau i ddifancoll ...

GOLCHI DILLAD

Gafodd Belinda a mi ein rhoi yn yr un tŷ ar ôl i Phibah farw, a daeth Clara ac Anna atom. Mae hyn yn arwydd ein bod yn tyfu. Mae'n brafiach bod mewn tŷ nag mewn stafell i lot o ferched, ac mae'n dawelach yma. Wedi dod o'r caeau mae cyfle i olchi dillad a'u gosod i sychu yn y cefn. Mae Talo yn ein gwylio o du cefn ei thŷ hi.

"Braf arnoch efo'r nerth i olchi," meddai gan wenu. Gofynnais oedd ganddi ddillad i mi eu golchi, ond gwrthod a wnaeth. Mae'n ffyrnig o annibynnol.

Heblaw ein bod wedi blino, dim ots gen i'r golchi, ac mae cwmni Belinda'n help. Dwi'n lecio teimlad y dŵr oer ar fy mreichiau, mae'n oeri'r crafiadau dwi wedi'u cael yn ystod y dydd. Y sgert wlanen sy'n drwm ac yn cymryd amser maith i'w sychu. Mae'r gweddill yn haws. Dwi'n sylwi fod gen i waith trwsio i'w wneud. Wedi'r golchi, rydan ni'n rhoi'r dillad ar y lein ac yn canu'n isel.

Mae'r dillad yn cyhwfan yn y gwynt, a dwi'n edrych arnynt yn dawnsio yn yr awel, fel tasen nhw'n rhydd.

STORI

Gyda'r nos, bûm yn trwsio'r twll yn y sgert, ond mae'r darn wedi mynd mor frau, mae'n anodd ei gadw efo'i gilydd. Does dim o'r hen ddefnydd ar ôl bellach, dim ond gweddillion fy mrodio i. A waeth faint ydw i'n ceisio tynnu'r wlanen ynghyd, mae'r cyfan wedi breuo 'mhellach, a bydd yn rhaid i mi gael darn arall o ddefnydd i wnïo patsyn drosto. Bydd hi'n amser maith eto nes cawn ni ddefnydd i wneud dillad newydd.

Ond mae'n ddiddos allan heno, achos dwi'n gwrando ar Anna'n adrodd stori wrth y plant am Anasi yn nyddu gwe i gyrraedd yr haul. Mae'r plant – a Fortune yn eu mysg – yn gwrando mewn rhyfeddod. Daw Quasha i eistedd wrth fy ymyl.

"Dwi wedi bod yn dy wylio, ti wedi ymgolli yn dy dasg ..." meddai.

"Mae gwaith canolbwyntio ar hyn ... mae'n breuo o flaen fy llygaid ... ond mae'n braf gwrando ar stori wrth bwytho."

"Lle ma'n gwbl wahanol gyda'r nos, tydi, Eboni?"

Codais fy mhen a gwylio'r plant, a'r bobl yn mynd o gwmpas yn tendio'r gerddi a'r anifeiliaid. Os nad oedd y Llgada Mawr o gwmpas, roedden ni'n gallu ymlacio. Syllais ar Fortune.

"Ar bwy wyt ti'n edrych?"

"Fortune. Golwg bell i ffwrdd yn ei lygaid. Mi fu'n dyst i weld ei fam yn cael ei chwipio."

"A sut mae hi rŵan?" holodd yn dyner.

"Wnaeth hi ddim goroesi," atebais yn dawel. Sylwais ar ddyrnau Quasha'n cau'n dynn.

"Be ydan ni'n ei wneud, Eboni? Be 'dan ni'n da yma'n bwyta ac adrodd straeon fel tase hyn i gyd yn normal?"

Trois i edrych ar ei wyneb a gweld yr angerdd yn ei lygaid.

"A be ddylien ni wneud?"

"Gwrthryfela."

"Siarad rhyfygus ydi hynny," meddwn yn flin. "Wyt ti eisiau bod ymysg rhes o gyrff yn crogi ar y goeden?"

Bu'n dawel am amser maith wedyn, ond gallwn deimlo gwres ei ddicter.

GWASANAETH

Dydw i ddim yn meddwl fod y Gwynddyn yn deall pethau ysbrydol a chred o gwbl. Maen nhw'n dweud bod ein credoau ni'n ofergoelus a pheryglus, ac eisiau i ni gredu yr un fath â nhw. Mae popeth yr ydym ni'n ei ddal yn bwysig yn ein bywydau'n ffôl ac amrwd ac anghywir. Mae popeth maen nhw'n gredu ynddo'n iawn ac yn bur. Ond maen nhw wedi cael popeth o chwith.

Trefn sy'n bwysig iddyn nhw, deddfau a rheolau. Ac maen nhw'n dotio cymaint at y pethau hyn, mae eu holl gred nhw'n seiliedig ar lyfr tew o reolau. A bob Saboth, maent yn edrych yn y llyfr yma ac yn darllen y rheolau ddylen ni ufuddhau iddynt. Dwi wedi'u clywed hyd syrffed bellach. Ufuddhau ... ufuddhau ... ufuddhau. Yn y Llyfr Mawr mae'n dweud fod pobl wyn i fod i gael caethweision, a reit ers dechrau'r byd bod pobl ddu i fod i weini ar bobl wyn. Dydw i ddim yn deall hynny.

Does gennyn ni ddim Llyfr Mawr sy'n dweud bod ni'n iawn a nhw ddim. Does gennyn ni ddim llyfr o gwbl. Rydan ni'n byw mewn cytgord efo'r Ddaear, a thrin pethau fel mae ein cyndadau ni wedi'i wneud erioed. Gawson ni ddarn o dir i fyw arno, ac anifeiliaid i ofalu amdanynt, ac mae'r Ddaear yn rhoi ffrwythau a llysiau inni a glaw a haul. Ac roedd bob dim yn iawn.

Pa fath o Lyfr sy'n dweud fod rhaid dwyn pobl oddi ar eu tir, rhoi cadwyni am eu gyddfau, eu chwipio, eu torri a'u sarhau am weddill eu bywydau, hwy a'u plant a phlant eu plant? Casineb drwg, drwg ydi hyn, a dydi o ddim yn iawn ei bregethu.

Ond rhaid inni fynd i'r gwasanaeth bob Sul a gwrando ar y cyfan. Doeddwn i ddim yn casáu neb ers talwm. Ond rŵan dwi'n llawn casineb. Rhaid ei fod o'n rhywbeth sy'n lledu fel salwch, yn haint sydd yn mynd o'r naill i'r llall.

MARC

Bob tro y byddaf yn molchi, dwi'n ymwybodol o'r graith. Dydw i erioed wedi'i gweld, ond gwn ei bod yno. Ches i mo 'ngeni efo hi, ond roedd yn farc o'r bywyd newydd. Ar gefn fy ysgwydd chwith mae hi, a bydd yno am byth. Dyna ydi craith, marc am oes.

Bob tro dwi'n ei chyffwrdd, dwi'n cael fy atgoffa mai eiddo rhywun arall ydw i. Nid unigolyn wyf fi, nid person, ond eiddo arall. A dyna pam dwi'n casáu'r graith.

Chafodd Hagar yr un, a dwi mor falch o hynny. Cafodd y môr ei derbyn fel corff hardd na chafodd ei sarnu. Ond wedi mynd oddi ar Yr Hunllef, dyna un o'r pethau cyntaf ddigwyddodd i ni – wedi inni gael ein prynu. Dwi'n cofio sefyll mewn rhes a'u gweld yn rhoi yr haearn yn y tân ac yna pan oedd yn goch, roedd o'n cael ei osod ar ysgwydd person – dyn neu ddynes. Cofio'r arogl ydw i'n fwy na dim, arogl na chlywais o'r blaen. A chofio'r sgrechiadau, a'r modd y câi pobl eu dal gan ddau, weithiau dri dyn. Dwi'n cofio meddwl, wnawn nhw ddim gwneud hynny i mi achos dwi'n blentyn. Ond yn syth wedi iddo ddigwydd i'r wraig o'm blaen, dyma nhw'n gafael ynof fi, a gwneud yr un fath.

Dwi 'rioed wedi profi ffasiwn boen, a bu'n boenus am ddyddiau lawer wedi hynny.

A dyna, am wn i, oedd ystyr tyfu'n oedolyn. Peidiais â bod yn blentyn, achos ro'n i'n cael fy nhrin fel pawb arall.

Dwi'n dal i fethu deall pam oeddan nhw'n gwneud y

fath beth. Doedd o ddim fel tasen ni'n gallu mynd i nunlla, na mynd ar goll. Wydden ni ddim lle roedden ni, hyd yn oed. Y Gwynddyn oedd yn ei fynnu – i ddangos mai fo oedd pia ni.

Unig ddiben y marc ydi dangos ein bod yn gaeth ac i sicrhau na fyddwn byth yn anghofio hynny. Fel tasen ni'n gallu anghofio fyth.

AGOSÁU

Mae Quasha a minnau wedi closio'n arw at ein gilydd. Dwi wedi derbyn ei bresenoldeb fel yr awyr iach o'n cwmpas. Mae o wedi bod yma ers pan dwi'n cofio. Ond yn ddiweddar, rydan ni wedi dod yn llawer iawn nes, yn sgwrsio am hir, ac mae wedi bod yn galw heibio efo anrhegion.

Y noson o'r blaen, dyma fo'n gofyn oeddwn i eisiau dod efo fo lawr at yr afon, a dyma fi'n cytuno. Roedd hi'n braf, dim ond fo a fi, ac roedd trymder y dydd yn llai llethol.

Gafaelodd yn fy llaw, a dyma finnau'n dechrau giglo.

"Beth sydd mor ddoniol, Eboni?"

"Hyn," medda fi, gan edrych ar ein dwylo, "fatha dau gariad."

Doedd o ddim yn teimlo mor chwithig.

"Wyt ti'n iawn efo hynna?"

A ddeudais i 'mod i, achos dwi'n lecio Quasha, dim ond 'mod i'n teimlo 'mod i'n gwneud rhywbeth henaidd yn cael cariad.

Siarad a siarad fuon ni wedyn, ond ymhen hir a hwyr bu Quasha'n dawel am hir, a dyma fo'n gofyn fasa fo'n cael gofyn rhywbeth i mi.

"Be ydi dy enw go iawn di?"

Enwau rhoi ydi'r enwau sydd gennym ni, ond roedd Quasha eisiau gwybod fy enw Affricanaidd. Felly dyma fi'n dweud wrtho.

"Yamba."

A munud wnes i ddweud yr enw, roedd o'n swnio'n od. Am nad o'n i wedi'i ddweud ers cyhyd. Am mai rhywbeth mewnol oedd o.

"Ti eisiau i mi dy alw wrth yr enw yna?" gofynnodd.

A doeddwn i ddim yn siŵr.

"Dwi byth yn ei ddefnyddio ... enw Mam a Dad arna i oedd o ... a Hagar – fy chwaer. Hi oedd yr olaf i'w ddweud yn uchel."

"Beth ddigwyddodd iddi?"

"Marw wrth ddod yma. Dwi ddim yn meddwl amdana i fel Yamba. Person rhydd oedd hi. Dydi o ddim yn ffitio'n gyfforddus arna i rŵan ..."

Doeddwn i 'rioed wedi gorfod trio rhoi geiriau i'r meddyliau hyn o'r blaen. Rhoddodd Quasha ei fraich amdanaf.

"Mae'n iawn."

Gafaelodd yn fy llaw.

"Diolch, Quasha."

Yn dyner iawn, trodd fy wyneb tuag ato, a chyffwrdd fy ngwefusau. Tynnais fy mhen yn ôl.

"Eboni?"

"Dwi ddim eisiau hynny."

Roedd yr awyrgylch rhyngom yn drydanol, a gwyddwn fod yn rhaid i mi droedio'n hynod ofalus.

"Mae o'r peth mwya naturiol yn y byd – fatha gafael yn llaw ..." meddai.

"Mae gafael yn llaw yn iawn ... ond dim byd arall."

Derbyniodd hynny, ac ro'n i'n ei garu am wneud hynny. Ond doedd o ddim yn deall.

A doeddwn innau ddim eisiau egluro wrtho mai'r Gwynddyn oedd yn gwneud pethau felly i mi, a'm byseddu, a gwneud fel roedd o eisiau efo'm corff.

SGWENNU

Taswn i'n gallu sgwennu, tybed sut deimlad fydde fo? Byddai'r holl feddyliau 'ma dwi wedi'u cael yn y dyddiadur dychmygol ar gael, bydde fo'n rhywbeth go iawn ar gof a chadw, a gallwn ei ddarllen a'i ailddarllen. Mae'n siŵr fod hynny'n deimlad rhyfeddol.

Darllen – pan wyt ti'n hen – rhywbeth a sgwennaist yn ifanc. Mae'n siŵr ei fod fel edrych ar lun a gallu syllu arno am hir. Heblaw byddai haenau ynddo, a phella yn y byd wyt ti'n mynd, mwya o haenau rwyt ti'n eu canfod.

Eto, dwi'n gallu gwneud hynny efo 'nghof. Dwi'n gallu mynd yn ôl i'm plentyndod, a chofio'r teimladau er mod i'n hŷn. Dwi'm wedi byw cymaint o hafau â hynny ... Ond dwi'n dyfalu sut brofiad ydi gallu sgwennu. Sut mae rhywun yn cofnodi efo inc ar bapur? Os mai fesul gair neu sŵn ydi o, mae'n rhaid ei fod yn cymryd amser hir i'w ddarllen. Byddwn wrth fy modd yn gallu darllen. Fyddwn i ddim yn gwastraffu amser yn darllen fy nyddiadur fy hun, byddwn yn darllen storïau pobl eraill – byddai fel mynd i mewn i bennau pobl eraill a mynd am dro o amgylch eu meddyliau. Fedra i ddim dychmygu'r peth. Ydi pawb yn teimlo 'run fath â fi? Neu faswn i'n darllen eu meddyliau a chanfod rhai cwbl newydd nad ydw i wedi eu profi o gwbl? Od.

GWARTH

Be mae pobl yn ei wneud efo dyddiadur pan maen nhw'n marw? Dwi ddim wedi meddwl am hynny o'r blaen. Fedar rywun fynd ag o efo fo? Faswn i byth yn cadw cofnod o'm meddyliau ar fy ôl, rhag ofn i rywun arall fyddai'n gallu darllen eu gweld. Fy meddyliau i fasan nhw, a neb arall.

Mae 'na bethau na fyddwn i fyth byth yn eu cofnodi. Pethau dwi eisiau eu hanghofio ond na fedra i byth. Maent yng nghorneli fy nghof yn llwydo a hel llwch, ond maent yno – a dwi'n gwybod hynny. Nawn nhw byth bydru, awn nhw byth yn llwch a diflannu.

Y cannoedd llygaid – hwnnw ydi un o fy hunllefau mwyaf. Pan ddaethon ni oddi ar Yr Hunllef, roedd yn sioc. Roedd y teimlad o symud parhaus yn peidio, ac roedden ni'n gorfod cerdded oddi ar ei fwrdd. Ddaru nhw ein gwthio ni i adeilad brics, pawb driphlith draphlith ar bennau ei gilydd. Rhyfedd oedd eu gweld – yn wynebau a chyrff. Tan hynny 'mond drwy leisiau oedden ni'n nabod llawer. Wyddai neb beth oedd yn digwydd. Drwy ffenestri'r lle brics, gwelsom adeiladau. Roedden ni o flaen lle fflat, ac roedden ni'n mynd allan fesul un – ar ben bocs. Roedd cymaint o weiddi a sŵn, roedd yn ddychryn. Lluchion nhw ddŵr arnon ni, nes roeddem yn wlyb diferol, wedyn roedden ni'n gorfod rhoi rhyw sachau droston ni ar ffurf gwisgoedd amrwd.

Roedd y Dyn Gwyn yn ein gwthio hwnt ac yma, yn ein

gorfodi ni i agor ein cegau, yn byseddu ein gwalltiau a'n cyrff, yn rhythu ar ein rhannau mwyaf preifat ac yn siarad ymysg ei gilydd. Roedd gen i gymaint o ofn wrth weld y chwip yn eu llaw, a'r modd roedden nhw'n gweiddi arnom. Y sôn oedd ein bod am gael ein bwyta gan y Gwynddyn.

Yn y diwedd, gwthiwyd fi ar ben y bocs a chodais fy mhen a dyna pryd y'u gwelais. Y cannoedd llygaid i gyd yn edrych arna i. Gwasgais fy llygaid a chwarddod y dorf. Roedd pob llygaid fel pin yn trywannu f'enaid. Ac yna distawrwydd – a llais yr un dyn 'ma'n gweiddi pethau nad oedd gen i syniad beth oedd o'n ei ddweud, dim ond bregliach anwaraidd, a chymrais ei fod yn fy melltithio. Dydi'r llygaid yna ddim wedi 'ngadael, a dydw i erioed o'r blaen wedi teimlo y fath warth. Ac eto, wyddwn i ddim beth ro'n i wedi'i wneud o'i le. Y cymysgedd teimladau oedd waethaf. Ro'n i'n casáu pob un o'r llygaid hy, ro'n i eisiau eu tynnu allan o'r pennau, a'u sathru'n slwj. Daeth dyn ataf o'r dorf ac edrych arna i fel taswn i'n anifail, ac edrych yn fy ngheg a theimlo 'nghroen. Daeth un arall a gwneud yr un fath, a doedd unman y gallwn redeg i guddio. Y cwbl fedrwn i ei wneud oedd sefyll yno, yn fy nillad gwarth, yn fy mudreddi, yn fy nghadwynau a dyfalu pryd fyddai'r hunllef yn dod i ben.

Ddaru'r hunllef ddim gorffen, ond ddaru neb ein bwyta ychwaith.

CUSAN

Mi wnes i adael i Quasha fy nghusanu neithiwr, a bydd yn noson bwysig yn fy mywyd – fel 'mod i wedi croesi rhyw drothwy. Dwi ddim wedi dweud wrth neb, ein cyfrinach ni ydyw. Roeddem wedi mynd am dro wrth yr afon, ac wedi eistedd am hir mewn tawelwch, ac roedd fel petai ein meddyliau'n ymddiddan, er nad oeddem yn dweud dim. Roedd o'n mwytho fy llaw, a dyma ni'n edrych ar ein gilydd a chusanu – ac roedd o'n gwbl naturiol a Quasha mor dyner.

Fe'i cofleidiais, a rhoi 'mraich am ei wddf, ac wrth iddo fo fy mwytho i a rhoi ei law ar groen fy ysgwydd, mwythodd fy marc. Mwya sydyn, roedd gen i gywilydd, a thynnais fy hun ymaith.

"Eboni ..."

"Paid cyffwrdd, mae'n rhan hyll o'm corff."

"Ond nid dy fai di ydi o."

Wrth gwrs mai fy mai i ydi o, doedd o ddim yn deall? Dydw i ddim wedi teimlo dim byd ond cywilydd ers i mi gael fy nghymryd. A daeth hyn â dagrau i lygaid Quasha. Roedd o'n daer na ddylwn i deimlo felly. Dangosodd ei farc o, a dywedodd ein bod wedi cael ein trin yn ddychrynllyd.

Ond dydi ei eiriau o ddim yn gwneud unrhyw synnwyr. Dwi wedi byw efo 'nghywilydd a'm gwarth gyhyd fel eu bod yn rhan o'm bod. Byth ers i Hagar farw, am wn i.

Fasa fo'n braf peidio teimlo'r euogrwydd hwnnw tase

rhywun yn medru ei olchi oddi arnaf. Ond am iddo ddigwydd tua'r un pryd, mae'r nod ar fy nghefn yn dragwyddol gysylltedig efo colli Hagar. Hyn a hyn o sarhad fedr rywun ei gymryd nes ei fod yn gwegian dan y baich, ac yn ei dderbyn fel rhan o'i hanfod.

Dyna pam roedd y gusan mor felys ac mor dyner. Roedd y syniad bod rhywun yn fy nerbyn fel ro'n i, ac eisiau fy nghusanu a'm caru'n deimlad gwerthfawr. A dwi'n ei ail-fyw yn fy nghof drosodd a throsodd.

PLETHU

Hyd yn oed wedi inni orffen yn y caeau, mae tasgau i'w gwneud gyda'r nos, ac wedi gorffen bwyta, rhaid gwneud y golchi, 'morol am fwyd i'r anifeiliaid a chario gwair nes fod popeth wedi'i orffen. Dim ond wedi *roll-call* olaf y dydd gawn ni fynd i glwydo, a does 'na ddim siâp debyg i ddim arnom bryd hynny.

Ond mae hwyliau go lew ar Belinda a minnau, ac mae'n gofyn i mi blethu ei gwallt cyn mynd i'r gwely. Dwi'n gwneud hynny yng ngolau cannwyll, a dwi'n fodlon. Mae popeth o'n cwmpas wedi ymdawelu, a chlywaf sŵn sboncyn y gwair, a chi unig yn udo yn y pellter.

"Leciwn i wisg newydd," meddai Belinda, "yn lle'r pethau diflas 'ma sy'n rhaid inni eu gwisgo ddydd ar ôl dydd."

"Byddai unrhyw beth yn well na'r wlanen yma," meddwn.

"Dychmyga gael gwisgo dillad da bob dydd," meddai hi. "Dillad lliwgar sy'n gyfforddus i'w gwisgo. Dwi'n siŵr y byddwn yn teimlo'n well ynof fi fy hun."

"Eisiau job yn y Tŷ Mawr wyt ti, Belinda?"

"Mae 'nghroen i lot rhy dywyll i hynny. Na – braf fasa peidio gweithio o gwbl, jest gwisgo'n grand a chael trip mewn trap a phoni!"

Chwarddodd y ddwy ohonom at syniad mor hurt.

Gorffennais drin ei gwallt, a lapiodd Belinda ei phen

mewn cadach. Swatiodd y ddwy ohonom ar y llawr, dan flanced.

"Diolch i ti, Eboni ... hei, mae Quasha yn dy gwmni di drwy'r amser rŵan. Dach chi'n bâr go iawn bellach, tydach?"

"Ydan. Mae Quasha werth y byd yn grwn."

"Braf arna ti. Nos da."

"Nos da."

CIP

Dwi'n ôl yn y caeau, fi a'm cyllell yng nghanol y tyfiant 'ma ac yn torri, torri, torri. Mae'n boeth, mae'n syrffedus, a mae dipyn go lew o amser cyn cael seibiant i gael brecwast. Eisoes bore 'ma, ers i sŵn y corn ein deffro, dwi wedi bod yn cario pethau ac yn torri tail. Ond mae gwell hwyliau nag arfer arnaf achos mae fy meddwl ar y dyfodol. Twll dwfn fu'r dyfodol cyn hyn, pydew na fentrwn edrych iddo, ond bellach, mae yna rywbeth yn dod yn ei le.

Wrth i berthynas Quasha a mi ddyfnhau, mae yna rywbeth sy'n debyg iawn i obaith yn ffurfio, ac mae hwnnw'n deimlad dieithr. Yn lle meddwl y gwaethaf am bob dim, mae yna lwybr gwahanol yn dechrau agor o'm blaen. Petai pethau'n parhau fel hyn, a bod Quasha a minnau'n camu dros yr ysgub, yna falle cawn ni blentyn, ac am y tro cyntaf, byddai gen i deulu drachefn. Fydd o byth 'run fath â tasen ni Adref eto, ond faswn i ddim gymaint ar fy mhen fy hun. Mae Quasha'n deall fy meddwl, y peth agosaf i'r hyn oedd gen i efo Hagar. Mae o'n rhywun y gallaf rannu efo fo. Mae'n ffrind, ac mae hynny'n deimlad cynnes braf i'w gael. Mae o'n gip ar fyd gwell sydd o fewn cyrraedd.

GOLCHI CLWYFAU

"Eboni!!"

Rhuthrais allan a gweld Fortune yn edrych yn llawn poendod.

"Eboni – tyrd!"

Dilynais Fortune gan redeg a gweld torf mewn cylch a sŵn chwip. Pwy sydd yn ei chael hi'r tro hwn?

Gwasgais fy hun rhwng y lleill ac ochneidio wrth weld Belinda ar y llawr. Roedd hanner ei chrys wedi'i rwygo ymaith, ac roedd Llgada Mawr yn ei chwipio'n ddidrugaredd. Roedd ei breichiau dros ei phen yn ceisio arbed ei hun, a'i gwaed yn gymysg efo'r baw. Teimlais fy nghoesau'n rhoi oddi tanaf, a chydiodd y rhai bob ochr ynof i'm dal. Pan ddois ataf fy hun, roedd pawb yn cerdded ymaith, un neu ddau o amgylch Belinda, a llusgais fy hun ati.

"Dwi yma, Belinda," meddwn, gan afael yn ei llaw.

"Wnawn ni morol ei bod yn mynd adref," meddai'r lleill. "Dos di i baratoi pethau," a dyna wnes i. Ro'n i fel un mewn breuddwyd, yn rhoi dŵr mewn bowlen ac estyn cadach. Gosodwyd Belinda ar y llawr, a golchais ei chlwyfau poenus.

Synnais fy hun efo 'niffyg dagrau. Ro'n i'n glanhau'r clwyfau ac yn edrych ar y cefn toredig. Roedd cefn, hardd ystwyth Belinda wedi'i farcio am byth. Am ba hyd oedden nhw am adael eu hôl ar ein crwyn? Un ymysg cannoedd oedd Belinda. Ro'n i wedi gwneud hyn o'r blaen, a byddwn yn ei wneud eto. Doedd dim byd yn newid. Doedd dim am eu rhwystro. Roedd hyn wedi'i wneud i genedlaethau o'n blaenau, a'n tro ni oedd hi rŵan.

Tro ein plant ni fyddai hi 'mhen blynyddoedd.

HERIO

Ro'n i wedi methu mynd i gwrdd â Quasha y noson gafodd Belinda ei chwipio, ond roedd o ar dân eisiau cyfarfod y noson wedyn. Peth cyntaf wnaeth o wrth fy ngweld oedd gofyn os ro'n i'n iawn, ond doedd fawr o hwyliau arna i. Yna dywedodd ei fod ar frys i rannu newyddion â mi.

Codais fy mhen i edrych arno, ac roedd ei lygaid wedi'u tanio.

"Mae yna brotest am fod," meddai, gan chwilio fy wyneb am ymateb.

"Cymer di ofal rhag gwneud unrhyw beth â hi," meddwn, mor fygythiol ag y gallwn. "Os digwydd rhywbeth i ti – ar ôl yr hyn sydd wedi digwydd i Belinda – mi gollwn fy mhwyll."

Ysgydwodd ei ben.

"Na, na dydi o ddim byd felly – rhywbeth cwbl wahanol ydi o. Does dim difrod nac ymosod na dim byd felly ... Mae o'r syniad symlaf ar wyneb daear ... a fedri dithau fod yn rhan ohono."

Wynebodd fi, a rhoi ei ddwylo ar f'ysgwyddau.

"Yr oll sydd raid i ni ei wneud ydi peidio gweithio. Wedi dau fachlud – mae'r dyddiad wedi'i bennu – dydyn ni ddim yn mynd i'r caeau y bore wedyn. Fydd neb yn mynd i wasanaethu'r Bwystfil, fydd neb yn lle'r gofaint, fydd dim casglu, dim gwasgu, dim byd."

Nid oedd ei eiriau'n gwneud unrhyw synnwyr.

"Ond mi wnawn nhw'n cosbi ni ..."

"Aros ... dydw i ddim wedi gorffen ... Mi fyddwn yn dweud yr awn ni i gyd yn ôl i'n gwaith, yn syth, ar un amod – eu bod yn ein talu ni."

"Talu? Paid â bod yn wirion, wnawn nhw byth ..."

Syllodd Quasha arnaf, roedd o wedi cynhyrfu'n llwyr.

"Mae hyn yn cael ei drefnu ar raddfa anhygoel, Eboni – rhyw ddeng mil ohonom. Fyddan nhw ddim yn gwybod be i'w wneud! Pawb ohonon ni'n gwrthod gwneud dim – a'r holl fusnes yn dod i stop. Gawn nhw'n chwipio ni, ond wnaiff o ddim gwahaniaeth! Hebddon ni, does dim masnach siwgr ohoni! Mae hi wedi canu arnon nhw!"

"Mi feddylian nhw am rywbeth."

Cododd Quasha ar ei draed a cherdded o gwmpas. "Mae'r ateb yn eu dwylo nhw! Maen nhw'n nofio mewn arian. Dim ond iddynt ddechrau ein talu ni am ein llafur, ac mae'r sioe i gyd ar ei thraed unwaith eto! Fydd y demtasiwn i gael yr olwynion i droi eto'n ormod!"

Codais innau ar fy nhraed.

"Ond Quasha, holl bwynt caethwasiaeth ydi bod ti ddim yn talu ..."

Nodiodd Quasha, "Ia – ac unwaith y byddan nhw'n ein talu ..."

Dywedodd y ddau ohonom y geiriau 'run pryd,

"... fyddan ni ddim yn gaeth!"

Chwarddodd y ddau ohonom at wallgofrwydd y syniad.

Aeth Quasha yn ei flaen.

"Byddwn yn dal i weithio fel ag o'r blaen, ond fydd pob dim yn newydd. Bydd ganddon ni hawliau ... mi fedrwn fargeinio – mae o'n mynd i newid popeth!" Roedd o wedi meddwi ar y cynllun.

Creithiau Belinda oedd yn llenwi fy meddwl i, a'r dicter a'r gofid yn fy maglu rhag rhannu cyffro Quasha.

"Ond mi fydd ganddynt ateb arall. Maen nhw wastad yn cael y gorau arnon ni ..."

Ochneidiodd Quasha.

"Dwi'n gwybod, ond mae'r cynllun yma'n werth rhoi cynnig arno. Rhyw genhadwr o'r pen pella sydd wedi cychwyn y syniad, ac mae o wedi bod yn gweithio arno ers misoedd. Mae miloedd wedi cytuno i fod yn rhan ohono fo, a gen i ryw deimlad yn fy ngwaed fod hwn yn mynd i weithio!"

Roedd o'n methu aros yn hir. Cusanodd fi, un gusan danbaid, a rhuthrodd i ffwrdd. Gwelais ei gorff yn diflannu i'r gwyll. Welais i mohono eto.

CYFLE

Sawl cyfle gaiff rhywun mewn bywyd? Dyna fûm i'n myfyrio yn ei gylch wrth i 'mhen bendilio beth i'w wneud. Faint gwaeth allai bywyd fod? Sawl gwaith oeddwn i am gael fy chwipio, fy nhreisio, am wynebu profedigaeth, am fod yn dyst i gosb, am lanhau creithiau ffrind? Ro'n i am iddo ddod i ben, a hynny'n fuan. Roedd cariad Quasha'n golygu popeth, ac roedd o am fentro'r cyfan efo rhyw gynllun gwallgof ...

Ond oedd hwn werth rhoi cynnig arno? Fyddwn i'n gallu byw efo fi fy hun pe na bawn yn cydio yn y cyfle? Ro'n i am drio, am lamu, er na allwn i yn fy myw ddychmygu sut fywyd fasa bywyd gwahanol. Roedd o'n gyfle, ac roedd hynny'n ddigon. O fewn dim, dyna oedd yn mynd o un caban i'r llall fel tân gwyllt. Dau fachlud ... a byddai'n digwydd. Un machlud, wedi'r noson hon.

Y DYDD OLAF

Bron iawn fedra i ddweud mai hwnnw oedd y diwrnod gorau ers i mi gyrraedd y byd presennol. Wnes i fyw drwy'r diwrnod cyfan fel person cwbl wahanol. Deffrois yn teimlo'n gynhyrfus. Ro'n i'n gweld y moch drwy lygaid newydd wrth eu bwydo ... roedd y wawr yn newydd. Roedd yna rywbeth i fyw er ei fwyn, ac roedd o'n treiddio i bopeth. Roedd o'n rhan o'r awyr uwch fy mhen, roedd o'n llygaid eraill, roedd o'n byrlymu'n gyfrinachol drwyddom. Ai fel hyn mae pobl eraill yn byw – efo diben i'w bywydau, efo rhywbeth i edrych ymlaen ato?

Wnes i hyd yn oed dorri'r gansen efo sêl nad o'n i wedi'i phrofi o'r blaen, gan ddweud mai dyma'r tro olaf i mi wneud hyn fel caethwas. Tro nesaf, byddaf yn ei wneud am dâl. Bob tro roedd yr hen amheuon yn ymddangos ar y gorwel, ro'n i'n gwrthod rhoi lle iddynt. Ro'n i eisiau un diwrnod – un diwrnod yn unig – lle gallwn ganolbwyntio'n llwyr ar bethau da i ddod. Roedd o'n gorfod digwydd rhyw ddydd, a falle mai fory oedd y diwrnod hwnnw.

Un machlud arall, a byddai'r diwrnod hwnnw'n gwawrio. Byddai gobaith yn troi'n ffaith.

GWREICHION

Ddaru ni gamddeall y fflam.

Ddaru nhw weiddi ac aethom allan a gweld y tân. Roedden ni'n neidio o gwmpas, yn gweiddi, yn canu. Roedd hi'n dal yn nos. Aeth pawb yn ddistaw, syllu ar y tân a gweld ei fod o'n real. Mae o wedi digwydd! Mae o wedi dod yn wir ... Ond doedd y dydd ddim wedi gwawrio ... doedd yfory ddim wedi dod.

Y Cwt Sychu oedd ar dân. Yna, dyma ni'n dechrau siarad ymysg ein gilydd. Oedd tân yn rhan o'r cynllun? Doedden ni ddim wedi deall hynny ... Ac roedd hi'n rhy gynnar ... yr hyn oedden ni wedi'i ddeall oedd mai'r bore wedyn oedd gweithredu ... Ond roedd wedi dechrau rŵan, a dyna fo. Siantio, gweiddi, canu, dawnsio a mwya sydyn, aeth rhai dynion ymlaen – at y tân ... efo fflangellau, ac mi ledodd. Cyn pen dim, roedd y caeau ar dân ac roedden ni'n clywed clecian blin y cansenni'n protestio yn erbyn y gwres.

Hwrê! Mae'r caeau ar dân! Mae'r maesydd sydd wedi peri'r fath ddiflastod i ni'n cael eu dinistrio. Fydd dim rhaid mynd ymlaen fory efo'r gwrthod gweithio, fydd dim caeau ar ôl! Hwrê! Clywsom sŵn drwm yn cael ei guro, sŵn gwaharddedig, ond doedd dim ots, roedd pob rheol yn cael ei thorri bellach. Tân! Drwm! Gweiddi! Bloeddio canu! Ar wynebau pawb roedd cymysgedd o ofn a gorfoledd. Beth oedd yn digwydd? Doedd gan neb syniad, ond roedd o'n dal i ddigwydd, ac roedd dydd ein gwaredigaeth gerllaw.

Curodd ein traed y ddaear sych, a dyma ymateb yn reddfol i guriad y drwm. I ba gyfeiriad bynnag roedden ni'n edrych, roedd mwy a mwy o danau. Welais i 'rioed olygfa debyg.

CLEC

Yna, daeth sŵn carnau ceffylau a mi wnes i ddrysu'n llwyr. Doedd hyn ddim i fod i ddigwydd. Fe'u gwelais yn dod tuag atom a gwasgarodd pawb i bob cyfeiriad. Ond doedd gennym ni 'run gobaith.

Clec!

A gyda sŵn cyfarwydd gwn, diflannodd pob gobaith. Doedd hyn ddim gwahanol i bob tro arall. Roeddent wedi ein trechu. Faint ohonyn nhw oedd yna? Beth yn y byd? Ac roeddent yn saethu atom!

Doedden ni fawr o bethau fel roedden ni, ond fe'n codwyd ni i'r awyr a throdd y byd a'i ben i lawr.

Stopiodd curiad y drwm.

Trodd y canu yn sgrechian.

Gwasgarodd y dorf a dim ond dryswch oedd yna.

Cyrff yn syrthio ar y llawr,

Ceffylau'n gwehyru ac yn codi eu carnau i'r awyr ...

Gwres y tanau'n dod yn nes, a mwg yn llenwi'r awyr.

Roedd y Dyn Gwyn yn malu'r cytiau'n rhacs, yn carlamu drwy'r muriau gwellt bregus, ac roedd potiau'n rowlio, cŵn yn cyfarth, ieir yn tasgu o'r awyr a moch yn rhedeg yn rhydd. Rhwng y ceffylau a'r Llgada Mawr, roedd pobl yn rhedeg yma ac acw a golwg wedi dychryn arnynt. Yma ... acw ... ffordd draw ... doedd yna unman i fynd ... roedd hi'n beryg bywyd mynd i unrhyw gyfeiriad.

Cuddiais tu ôl i un o'r cytiau a cheisio meddwl i lle gallwn ddianc. Ac wrth i mi edrych, fe'i gwelais. Safai yno, efo'i gyllell oedd yn llawer rhy fawr iddo, yn eu herio, a phawb arall yn rhedeg i ffwrdd. Un sgrech ddaeth o'm genau.

"Fortune!!!!"

Ond yn ofer. Fe'i saethwyd yn ddiseremoni, a disgynnodd ei gorff fel pyped ar y llawr.

Mewn gwewyr, mewn galar, trois ar fy sawdl ac i ffwrdd â mi.

RHEDEG

Rhedeg mae hi nerth ei choesau, rhedeg heb wybod i ble, ond fiw iddi stopio. Mae ei chamau'n cyflymu, mae'n hyrddio ei chorff yn ei flaen ac yn teimlo'r rhyddid. Waeth i ble yr aiff, dim ond ei bod yn mynd mor bell ag y medr oddi wrth yr uffern wallgof yna.

Dos, Eboni, dos. Mae'n gwybod ei fod o'n beth dychrynllyd o beryglus i'w wneud, ond does dim ots ganddi bellach. Dim ots os bydd ei chorff yn malu'n filoedd o ddarnau mân ac yn cael ei chwythu i'r pedwar gwynt. Dim ots beth sy'n digwydd yn awr, achos mae popeth wedi mynd. Mae'r mymryn gafael oedd ganddi ar hapusrwydd wedi llithro drwy ei bysedd. Collodd y cyfan. Yn droednoeth, mae ei chorff gosgeiddig pymtheg oed yn symud yn rhythmig. Drwy gaeau'r planhigfeydd, mae ei chamau'n drybowndian yn erbyn y ddaear galed. Gall deimlo'r gwaed yn curo yn ei phen, ac mae arogl y mwg yn yr awyr yn gwneud anadlu'n anodd. Ond dos, Eboni, dos – rhed am dy fywyd.

Ymhen dipyn, dim ond olion ei thraed sydd ar ôl yn y pridd. Diosg y cyfan, diflanna.

Dyna'r peth gorau all ddigwydd, ynghyd â'i chof, achos po leiaf mae Eboni yn ei gofio am ei bywyd, gorau oll.

Mae'n dal i redeg, a rhedeg y bydd hi tan ddiwedd y byd, achos mae'n dal i gael ei herlid. Chwiliwn y llyfrau hanes, does dim cofnod ohoni, mae fel pe na bai wedi bod erioed.

Does nunlle'n cynnig noddfa iddi, mae'n esgymun ym mhob man. Lle bynnag mae ei throed yn sangu, fe'i gwneir yn gyff gwawd. Petai ganddi ddinas noddfa, gallai gyrchu ati, ond does unman iddi gael rhoi ei phen i lawr. Ond dal ati, da ti. Dos, Yamba, dos.

CWYNION YAMBA, Y GAETHES DDU
(Detholiad)

Er bod mewn caethiwed ymhell o fy ngwlad,
Rwy'n cofio hoff gartref fy mam a fy nhad,
Y babell a'r goedwig, yr afon a'r ddôl,
Ond byth ni chaiff Yamba ddychwelyd yn ôl!

Pan unwaith yn gwasgu y bach ar fy mron,
A'r lleill wrth fy ymyl yn cysgu yn llon,
Disgwyliwn fy mhriod, gan sïo'n ddifraw,
Heb feddwl fod dychryn, na gelyn gerllaw.

Ond pan yn hoff sugno awelon yr hwyr,
Fy nghalon ar unwaith ymdoddai fel cwyr,
Gweld haid o ddyn-ladron yn dyfod o'r môr
Gan guro fy mwthyn nes torri y ddôr!

Heb briod na chyfaill, chwaer, brawd, mam na thad,
I achub y gweiniaid crynedig rhag brad;
Fe'n llusgwyd, fe'n gwthiwyd, er taered ein cri,
I ddu-gell y gaeth-long, at gannoedd fel ni!

Wrth ruddfan i gyfrif munudau'r nos hir,
A threiglo'n ddiorphwys fy mhen gan ei gur,
Mi gefais fy maban ar doriad y dydd
Yn oer ac yn farw – o'i boenau yn rhydd!

Ar ôl garw-fordaith, a chyrraedd y lan,
A'n didol a'n gwerthu i fynd i bob man;
Y brawd bach a rwygid o fynwes ei chwaer,
Er mynych lesmeirio wrth lefain yn daer!

I greulon ormeswr, fy ngwerthu a wnaed,
I gael fy fflangellu o'm dwyfron i'm traed;
Mae'm llafur yn galed, a minnau yn wan,
Heb ddefnyn o gysur i'w gael o un man!

Mewn ing rhaid im farw! Nis gallaf fyw'n hwy!
Mae'r holl gorff yn glwyfus, a'r galon yn ddwy!
O na chawswn drengi ym mynwes fy ngwlad,
Fy mhlant a fy mhriod, fy mam a fy nhad!

Wrth farw, fy ngweddi daer olaf a fydd,
I'r caeth o'i gadwynau gael myned yn rhydd:
Pa Gristion, heb deimlo ei galon mewn aeth,
All gofio du-lafur ei frodyr sy'n gaeth?

O Brydain brydweddol! Arglwyddes y don,
Na âd i un gaeth-long ymrwygo dros hon:
Cwyd faner wen rhyddid nes gwawrio y dydd
I'r olaf gael dianc o'i gadwyn yn rhydd.

Samuel Roberts, Llanbryn-mair, 1825

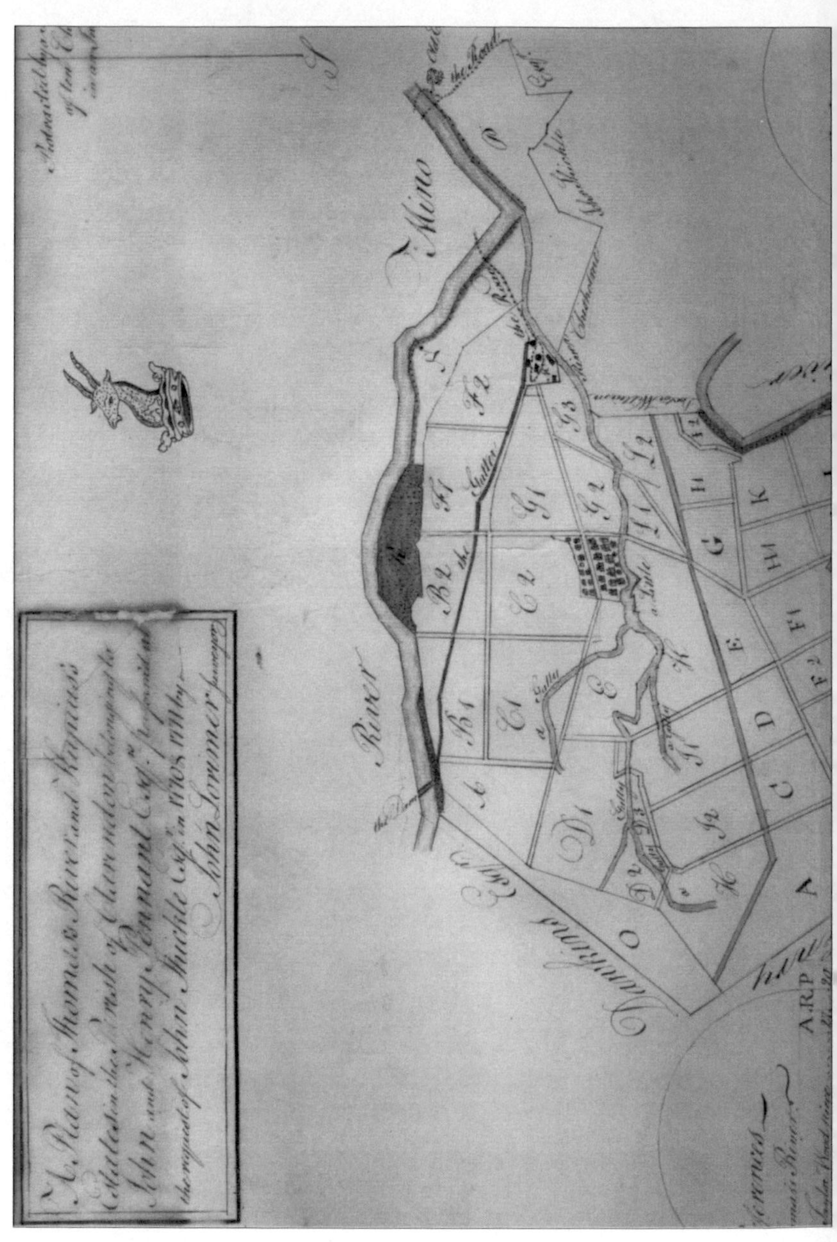

Map o rai o diroedd teulu Pennant yn Clarendon, Jamaica, 1770

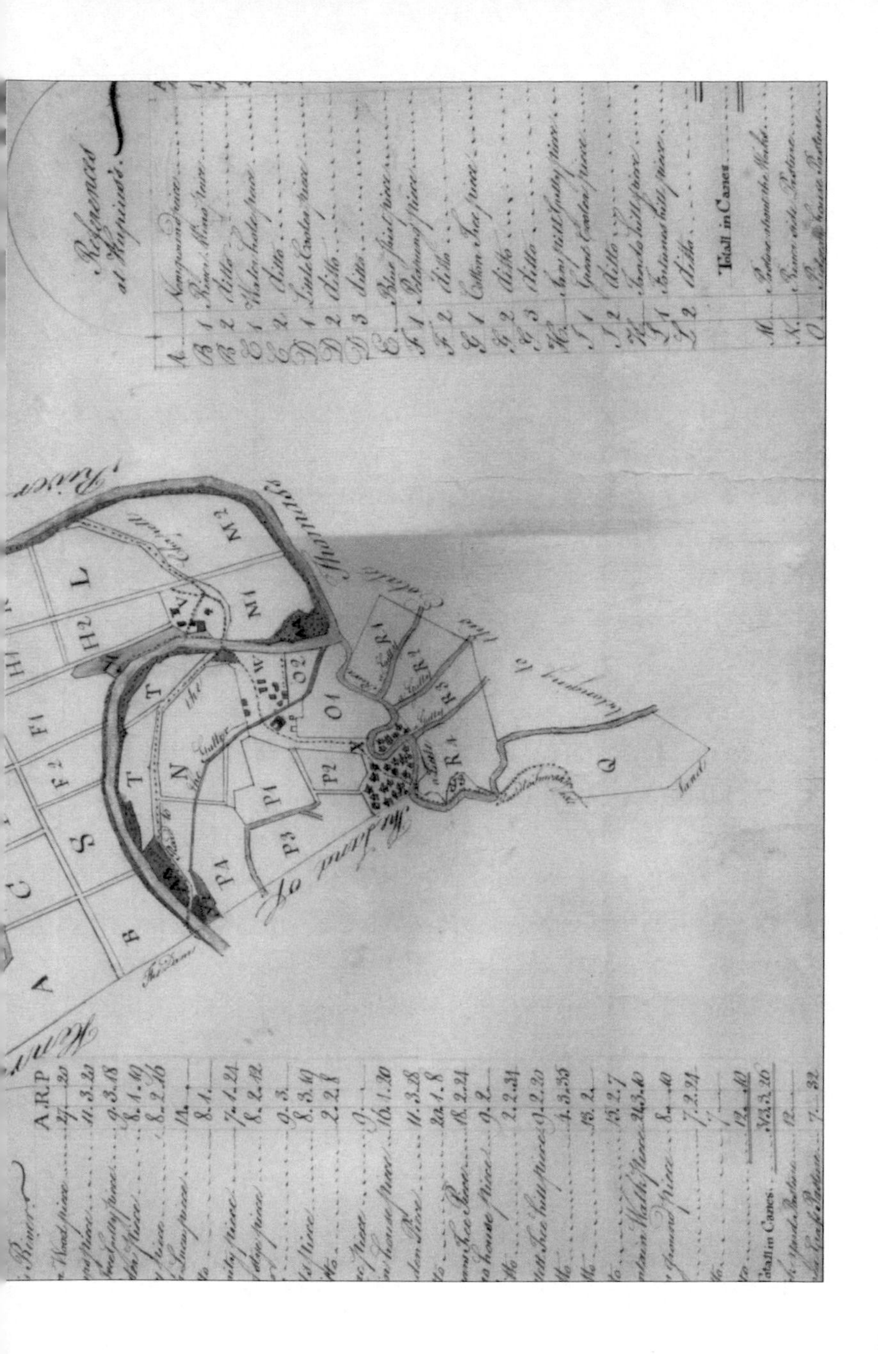

GAIR AR Y DIWEDD

Y symbyliad i sgwennu'r gwaith hwn oedd arddangosfa gofiadwy Manon Steffan Ros ar gaethwasiaeth yng Nghastell Penrhyn yn 2018. Gwnaeth argraff ddofn arnaf, a throis ati i sgwennu am yr Arglwydd Penrhyn – cymeriad nad oedd yn ennyn fy mrwdfrydedd o gwbl. Fis Mawrth 2019, clywais ddarlith yn Amgueddfa Lechi Llanberis am gysylltiad gwehyddion Cymreig â chaethwasiaeth.

Mae graddfa'r fasnach gaethweision mor anferth fel ei bod yn anodd ei dychmygu. Erbyn 1860, roedd deuddeg miliwn o bobl Africa wedi eu cymryd yn gaethweision (ac yn agos at ddwy filiwn wedi marw ar y llongau). Wrth i'r farchnad hon gynyddu yn y 18fed ganrif, roedd angen eu dilladu'n rhad. Gwlanen Gymreig oedd yn ateb y galw, yr hyn a alwyd yn 'Negro wool' neu 'Welsh flannel'. Yn Sir Feirionnydd a chanolbarth Cymru byddai gwehyddion yn nyddu gwlanen fras ar gyfer y caethweision. 'The whole purpose of Welsh woollens was covering the poor Negroes in the West Indies', yn ôl Chris Evans, awdur *Slave Wales*, gan gyfeirio at 1770. Nid oeddwn wedi dod ar draws yr hanes hwn o'r blaen. Roedd un o'm cyndeidiau'n ffermio pandy yn Nhrawsfynydd, ac mae'n bosib iawn ei fod yn rhan o'r farchnad hon.

Yn y diwedd, euthum ar drywydd dwy ferch ifanc, un o gefndir nyddu o Ddolgellau, a'r llall yn gaethferch yn Jamaica, ar diroedd yr Arglwydd Penrhyn. Wrth i'r farchnad wlân ddirywio, caiff Dorcas waith fel morwyn yng Nghastell Penrhyn. Yr unig beth sy'n gyffredin rhwng y ddwy ferch yw awch yr Arglwydd

Penrhyn am elw, ac mae hyn yn esgor ar ganlyniadau trychinebus i'r ddwy. Nid yw'r Arglwydd Penrhyn yn ymddangos yn y nofel, ond mae ei gysgod yn drwm ar fywydau'r ddwy. Mae'r ail ddarn, sef stori Eboni, yn digwydd ychydig yn gynharach na'r darn cyntaf, stori Dorcas.

Roedd cyfoeth y teulu Penrhyn yn ddiarhebol. O Sir Fflint y deuai Gifford Pennant a phrynodd diroedd helaeth yn Jamaica. Dydyn ni ddim yn sôn am dirfeddiannwr bach – roedd ystad Pennant ugain gwaith maint y rhai cyffredin. Roedd Edward ei fab (fu farw yn 1736) yn Brif Ustus Jamaica. Ychwanegodd mab hwnnw – John – at y tiroedd helaeth yn Jamaica drwy briodas ac yna mudodd y teulu yn ôl i Brydain efo Richard Pennant yn Farwn cyntaf Penrhyn (1739–1808). Drwy lythyr y bu'r teulu yn rheoli'r planhigfeydd wedi hynny.

Yn ogystal â'r gwaith o reoli ei gyfoeth yn Jamaica, roedd Richard Pennant yn aelod seneddol dros ran o Lerpwl, tref oedd yn gyfrifol am 90% o farchnad gaethwasiaeth Prydain. Roedd ganddo ef ei hun fil o gaethweision yn Jamaica. Ef oedd cadeirydd y West Indian Committee, ac yn 1788 pan oedd ymgyrch Wilberforce i ddiddymu caethwasiaeth yn codi stêm, roedd Pennant yn gadeirydd is-grŵp o'r West Indian Committee oedd yn gwrthwynebu dileu caethwasiaeth – ymgyrchodd yn frwd yn erbyn rhyddhau caethweision.

Pan basiwyd deddf yn gwahardd caethwasiaeth yn 1835, cafodd yr arglwydd iawndal o £14,683 (sy'n gyfystyr â £1.3 miliwn heddiw). Roedd ymysg y 46,000 o ddinasyddion Prydeinig oedd yn berchen ar gaethweision. Talwyd miliynau mewn iawndal, ac nid yw'n syndod na orffennodd Llywodraeth Prydain dalu'r arian hwn tan 2015. Ni welodd y caethweision eu hunain yr un geiniog.

Byddai cost adeiladu Castell Penrhyn yn yr oes bresennol yn agos at £50,000,000. Arian caethwasiaeth dalodd am y cyfoeth dychrynllyd hwn. Er mwyn cael enwau'r caethweision, chwiliais ymysg archifau Stad y Penrhyn yn Archifdy Bangor. Fel y nododd Dr John Llywelyn Williams, mae ôl caethwasiaeth yn drwm ar Ddyffryn Ogwen. Er enghraifft, lleiniau tebyg i'r rhai yn Jamaica a ddefnyddiwyd gan Richard Pennant ar gan acer a mwy o Fynydd Llandygái i dyfu tatws yn 1798. Nid haelioni oedd hyn ar ran Pennant. Defnyddiodd chwarelwyr heb waith mewn cyfnod o gyni i dyfu eu bwyd eu hunain rhag ofn eu bod yn dioddef newyn. Dysgais lawer am Streic y Penrhyn 1900–03, ond nid am gysgod tywyll caethwasiaeth ar hanes y chwarel. Ni ddefnyddiais fawr ar fy nychymyg wrth sgwennu'r nofel. Mae'n anodd darllen rhai o'r hanesion am yr hyn ddigwyddodd yn y planhigfeydd. Mae'r enghreifftiau gwaethaf o'r hyn oedd yn aros y bobl ddu wedi iddynt wneud y siwrne mewn llong gaethwasiaeth o Affrica wedi'u cofnodi yn nyddiadur Thomas Thistlewood. Meddai William Wilberforce, 'So much misery condensed in so little room is more than the human imagination had ever before conceived.'

Wrth geisio cael rhywbeth oedd yn gysylltiedig â Jamaica y byddai Dorcas wedi dod ar ei draws yn y castell, y lluniau o'r planhigfeydd ddefnyddiais i. Mae'r rhain yn perthyn i gyfnod hwyrach yn yr hanes, ond cymerais yr hyfdra o'u gosod yn 1830. Yr arglwydd dan sylw yn y nofel yw olynydd Richard Pennant, sef George Hay Dawkins Pennant, oedd yn gyfrifol am godi Castell Penrhyn ar ei wedd bresennol.

Mae stori Eboni yn perthyn i gyfnod cynharach. Er gwaethaf hyn, rwy'n cyfeirio at wrthryfel ar ddiwedd y nofel sydd yn ymdebygu i wrthryfel y Nadolig (1831) dan Sam Sharpe. Blaenor gyda'r Bedyddwyr ydoedd, a gafodd y syniad o streic adeg gwyliau'r Nadolig yn 1831. Y noson cynt, cafodd tân ei gynnau yn stad Kensington, Jamaica. Erbyn hanner nos, roedd tanau mewn 16 stad arall. Bu'r adwaith yn ffyrnig o ran perchnogion y planhigfeydd, a phawb ddaeth o flaen y llys yn euog. Amcangyfrifir i 312 o gaethweision gael eu crogi, ac roedd 1,000 wedi'u lladd gan y milwyr. Erbyn mis Mai, roedd Sam Sharpe ei hun ar y grocbren. Serch hyn, credir fod y cosbi eithafol wedi bod yn sbardun i ddiddymu caethwasiaeth.

Nid wyf yn mynd ar drywydd cenhadon gan mai mynychu gwasanaethau mewn eglwysi penodol i gaethion oedd y rhai yn y nofel, ond roedd gwaith cenhadu yn cael ei wneud gan Anghydffurfwyr megis Sam Sharpe. Wrth bregethu neges o bobl yn gydradd gerbron Duw, roedd hyn yn naturiol yn taro tant gyda chaethweision. Roedd nifer o arweinwyr cenhadol yn dod o'r gymuned groenddu.

Mae crefydd yn chwarae rôl yn stori Dorcas hithau, gyda niferoedd yng Nghymru'n troi eu cefnau ar yr Eglwys Wladol ac yn troi at Anghydffurfiaeth. Dyma oedd traddodiad Dorcas, oedd yn Fethodist yn Sir Feirionnydd. Fodd bynnag, nid yw teulu ei chyfnither yn arddel yr un syniadau, gan mai eglwyswyr oeddent hwy. Prin iawn oedd y Cymry ymysg staff yr Arglwydd Penrhyn – doedd o ddim yn ymddiried ynddynt. Anaml iawn y ceir enwau Cymraeg ymysg y gweision a'r morynion. Roedd teulu Cadi o reidrwydd, felly, yn debyg o fod yn deyrngar i'r Penrhyn, ac yn eglwyswyr.

Wrth sgwennu'r nofel hon yn 2020, digwyddodd llofruddiaeth erchyll George Floyd ar Fai 25, ac esgorodd hyn ar brotestiadau ledled y byd. Mae'r ymgyrch Black Lives Matter wedi peri i bawb ddwys ystyried oblygiadau'r farchnad gaethwasiaeth, a sut mae ei gwenwyn yn dal i effeithio arnom i gyd heddiw. Wrth ymchwilio i'r hanes yn y ddwy flynedd ddiwethaf, roeddwn yn cael trafferth i gredu creulondeb pobl wyn at bobl ddu. Ac wrth wylio'r ffilm o Derek Chauvin yn pwyso ar wddf George Floyd am wyth munud a 46 eiliad, yr un cwestiwn ro'n i'n ei ofyn, "Sut gall rhywun fod mor annynol tuag at ei gyd-ddyn?" Yr ateb yw oherwydd eu bod yn gallu ymddwyn felly, mae'r Drefn yn caniatáu hyn. Mae'n cael ei ganiatáu am nad yw'n cael ei herio ddigon, am nad yw gwrth-hiliaeth yn cael ei dysgu mewn ysgolion.

Yn blentyn, ac yn berson ifanc, ni chefais unrhyw addysg am hiliaeth, ni chefais unrhyw wersi am gaethwasiaeth. Mae dirfawr angen newid y sefyllfa hon a gweddnewid y maes llafur yn ysgolion Cymru. Byddai hwn yn gam enfawr i wrthsefyll hiliaeth.

Fel person gwyn, gwn nad fi yw'r dewis cyntaf i sgwennu nofel am gaethwasiaeth, ac rwy'n cydnabod hynny. Ond dwi wedi rhoi cynnig arni, a gobeithio y bydd llawer mwy yn y dyfodol. Os bydd y nofel yn fodd o gychwyn trafodaeth neu sgwrs am hiliaeth, gorau oll.

Mae hiliaeth yn ddwfn yn ein cymdeithas, a'r cam cyntaf yw cydnabod hynny. Tan 1987, nid oedd yr un aelod seneddol du yn San Steffan. Mae pobl wynion angen cydnabod y syniad o 'fraint gwyn' (*white privilege*). Braint gwyn yw absenoldeb canlyniadau negyddol hiliaeth yn eu bywydau. Y norm i bobl wyn yw cael eu trin fel bodau dynol, cyffredin. Nid yw'r un peth yn wir i bobl ddu. Hiliaeth, yn ôl Reni Eddo-Lodge (awdur *Why I'm No Longer Talking To White People About Race*) yw rhagfarn a grym efo'i gilydd. Rhaid inni ymuno yn yr ymgyrch yn erbyn braint gwyn, derbyn cyfrifoldeb, ac ymrwymo i weithredu yn erbyn hiliaeth. Dydi gwadu'r fath syniad a smalio fod popeth yn iawn yn helpu neb.

Angharad Tomos
Hydref 2020

Cefn clawr – delwedd o gynllun y llong a gludodd gaethweision ar y fordaith hir o Orllewin Affrica i'r America.

"Dydi hyn yn ddim byd newydd. Dydw i ddim yn drist. Dydw i ddim yn sori.

Dwi'n flin, a dwi wedi blino. Mi stopiais grio flynyddoedd yn ôl, does dim emosiwn ynof.

Nid trist ydw i, dydw i ddim eisiau eich tosturi. Yr hyn ydw i ei eisiau ydi newid."

Letetra Widman, chwaer Jacob Blake
a saethwyd yn ei gefn gan blismon, Awst 2020.

Nofelau Hanes Cymru – y rhestr gyflawn

Straeon cyffrous a theimladwy wedi'u seilio ar ddigwyddiadau allweddol

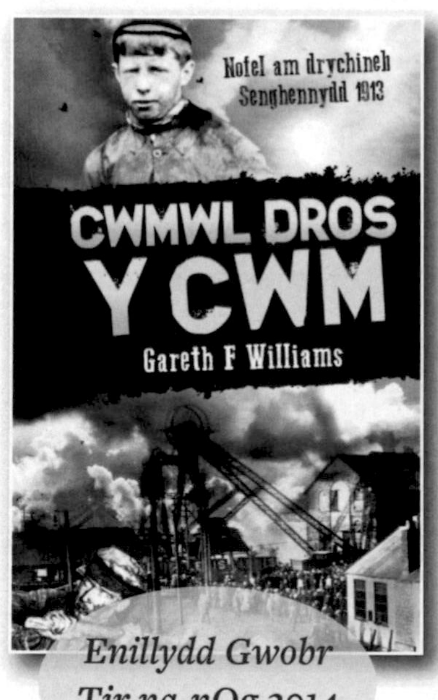

Enillydd Gwobr Tir na-nOg 2014

CWMWL DROS Y CWM
Gareth F. Williams

Nofel am drychineb Senghennydd 1913.

£5.99

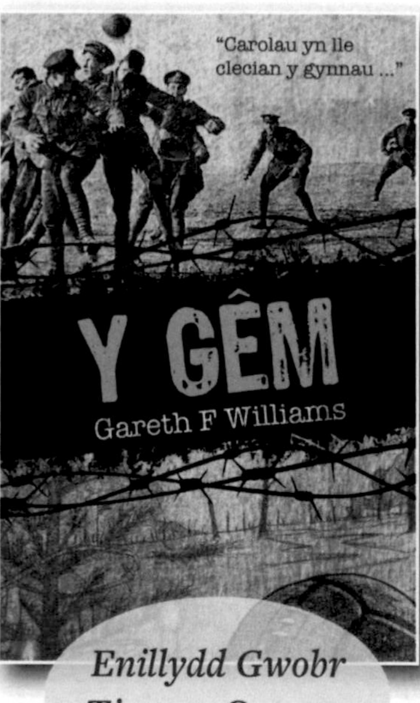

Enillydd Gwobr Tir na-nOg 2015

Y GÊM
Gareth F. Williams

Dydd Nadolig 1914, yn ystod y Rhyfel Mawr.

£5.99

DARN BACH O BAPUR
Angharad Tomos

Nofel am frwydr teulu'r Beasleys dros y Gymraeg 1952-1960.

£5.99

Rhestr fer Gwobr Tir na-nOg 2015

PAENT!
Angharad Tomos

Cymru 1969 – Cymraeg ar arwyddion ffyrdd a'r Arwisgo yng Nghaernarfon.

£5.99

Rhestr fer Gwobr Tir na-nOg 2016

HENRIÉT Y SYFFRAJÉT
Angharad Tomos

"Dydw i ddim eisiau dweud y stori ..." Dyna eiriau annisgwyl Henriét, prif gymeriad y nofel hon am yr ymgyrch i ennill pleidlais i ferched ychydig dros gan mlynedd yn ôl.

£6.99

Y CASTELL SIWGR
Angharad Tomos

Dwy ferch ar ddau gyfandir. Un lord ag awch am elw.

Stori ddirdynnol am gaethferch, am forwyn, am long a chastell ac am ddioddefaint tu hwnt i ddychymyg.

£8.50

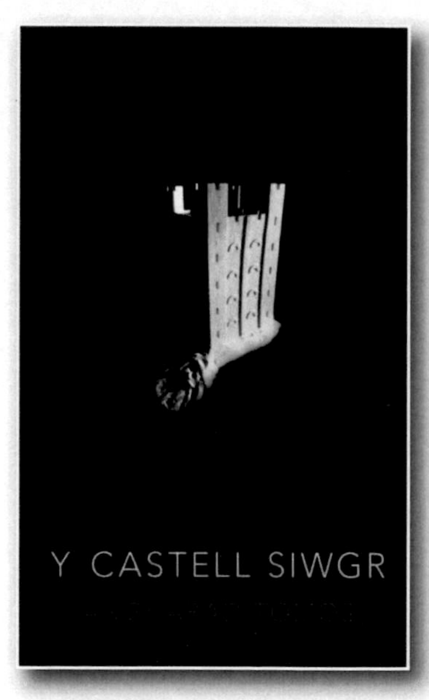

Nofel am antur y Cymry ar eu taith i Batagonia yn 1865.

£5.99

Hanes cyffrous un llanc yn dilyn ei arwr o frwydr i frwydr nes cyrraedd Rhufain ei hun. £5.99

Y CI
A'R BRENIN
HYWEL
Siân Lewis

Teithiwch yn ôl i oes Hywel Dda, sy'n cyhoeddi ei gyfreithiau ar gyfer Cymru. Mae Gar y ci mewn helynt. A fydd yn dianc heb gosb o lys y brenin?

£5.95

GETHIN NYTH BRÂN

Gareth Evans

Yn dilyn parti Calan Gaeaf, mae bywyd Gethin (13 oed) yn troi ben i waered. Mae'n deffro mewn byd arall. A'r dyddiad: 1713.

£5.99

Rhestr fer Gwobr Tir na-nOg 2018

Y PIBGORN HUD

Gareth Evans

Mae Ina yn ferch anghyffredin iawn. Mae hi wedi goroesi'r pla, mae hi'n gallu trin cleddyf a siarad Lladin, ac mae ganddi'r gallu rhyfeddol i ganu'r pibgorn! Ond beth fydd ei hanes hi, a Bleiddyn y ci, wedi i Frythoniaid o'r gogledd a Saeson o'r gorllewin fygwth ei ffordd o fyw?

£8.50

YR ARGAE HAEARN
Myrddin ap Dafydd

Dewrder teulu yng Nghwm Gwendraeth Fach wrth frwydro i achub y cwm rhag cael ei foddi.

£5.99

Rhestr fer Gwobr Tir na-nOg 2017

MAE'R LLEUAD YN GOCH
Myrddin ap Dafydd

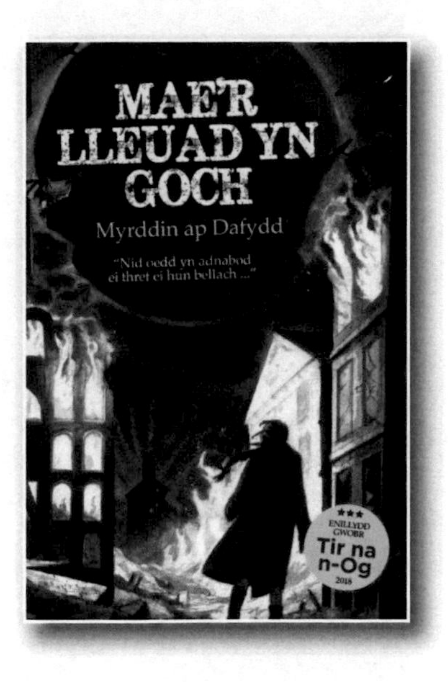

Tân yn yr Ysgol Fomio yn Llŷn a bomiau'n disgyn ar ddinas Gernika yng ngwlad y Basg – mae un teulu yng nghanol y cyfan.

£5.99

Enillydd Gwobr Tir na-nOg 2018

PREN A CHANSEN
Myrddin ap Dafydd

"y gansen gei di am ddweud gair yn Gymraeg ..."

Mae Bob yn dechrau yn Ysgol y Llan, ond tydi oes y Welsh Not ddim ar ben yn yr ysgol honno.

£6.99

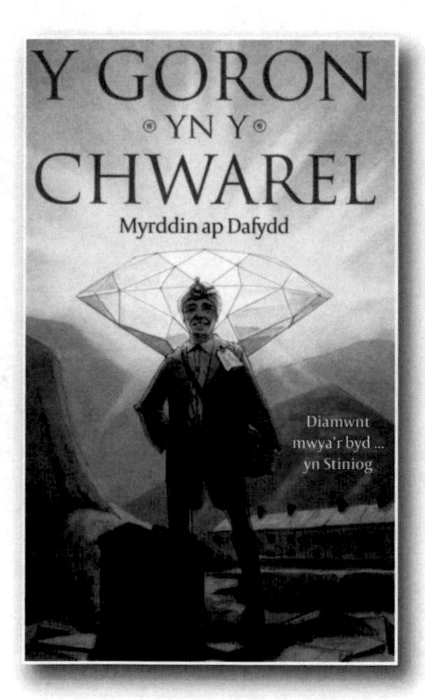

Y GORON YN Y CHWAREL
Myrddin ap Dafydd

Diamwnt mwya'r byd mewn chwarel ym Mlaenau Ffestiniog

Nofel am ifaciwîs a symud trysorau o Lundain i ddiogelwch y chwareli adeg yr Ail Ryfel Byd.

£6.99

DRWS DU YN NHONYPANDY

Myrddin ap Dafydd

Nofel am deuluoedd y glo, Cwm Rhondda, yn ystod cyfnod cythryblus 1910.

£7.99

GWENWYN A GWASGOD FELEN

Haf Llewelyn

Mae'n edrych yn dywyll ar yr efeilliaid Daniel a Dorothy a'r ddau wedi'u gadael yn amddifad. Ai'r Wyrcws yn y Bala fydd hi? Ond caiff Daniel waith yn siop yr Apothecari ...

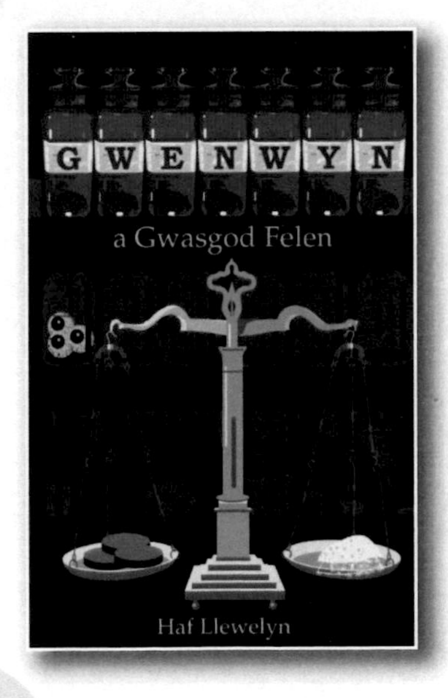

£6.99

Rhestr fer Gwobr Tir na-nOg 2019

PUI 31·12·2020